优雅 ——

得体而精致的外表，丰富而强大的内心。
柔而不娇、坚而不厉的品性气质，
积极乐观、从容淡定的生活态度。

Elegance

优雅

晓雪 著

图书在版编目（CIP）数据

优雅 / 晓雪著 . — 桂林：广西师范大学出版社 ,2012.7（2015.3 重印）
ISBN 978-7-5495-1152-5

Ⅰ . ①优… Ⅱ . ①晓… Ⅲ . ①女性 – 修养 – 通俗读物
Ⅳ . ① B825-49
中国版本图书馆 CIP 数据核字 (2011) 第 280504 号

广西师范大学出版社出版发行
桂林市中华路22号　邮政编码：541001
网址：www.bbtpress.com

出 版 人：何林夏
全国新华书店经销
发行热线：010-64284815
山东临沂新华印刷物流集团有限责任公司

开本：880mm×1230mm　1/32
印张：9　字数：120千字　图片：31
2012年7月第1版　2015年3月第18次印刷
定价：35.00元

前言 / 十年拾碎

这本书里的文字，其实原本并不是为这本书而写。

十年前，我是一个不上网的人。

网络开始盛行的时候，我才刚开始别扭地用键盘写每期杂志的“编者话”，并且至少埋怨了一年：键盘远不如钢笔有灵感。

网络像一个有强大杀伤力的病毒，飞快地侵袭了每个人的生活。对我来说，最开始频繁地上网并不是为了搜索信息，而是为了“博客”。2005 年开始红遍中国的博客现在已经变成网络的老朽。但是对我而言，博客无意中承载了我过去数年的心情笔记。那些絮絮叨叨的文字中，有我的青春，你的青春，我们一起走过的点点滴滴。

两年前开始微博当道，当年在博客码字的各位亲，集体从千字文转到了 140 字的短平快。好听地说，是与时俱进，速度第一；难听地说，是大家都找到了让自己偷懒的好方法。

笔下懒了，心也懒了。

而让我经常回忆起自己那些散落的心情记录的，竟都是陌生的朋友。这些年来，在很多个不期而遇的场合：写字楼的电梯里，商场的柜台旁，公园的休息椅上，陌生城市的街头，遥远海边的冷饮摊，我都能碰到陌生而热情的招呼：

“你是晓雪吧？我看你的博客，现在也开始用面膜啦！”

“晓雪？你看我的高跟鞋，有几厘米？”

“晓雪，这是你家乐乐吧？都这么大了？我还记得你生她们的时候写过一篇坐月子的博，看得我都哭了……”

“晓雪,我要结婚了,当初是看你写的一篇博而下决心去追我老公的！”

“晓雪，你现在怎么不写了？……”

写博之初，我绝想不到，那些不算文笔好不算有观点，只是一个小女人的风花雪月的文字，竟和那么多那么多未曾谋面而心有灵犀的网友们，交心，交友，交换彼此的真诚。

我也绝想不到，有一天，在这些未曾谋面而心有灵犀的朋友中，有几个做出版的女孩子，一直就叫嚷着要将这些琐碎文字集结成书。我的妈妈是语文老师，这让我从小对文字又爱又恨，迷恋好看的书，但是对文字充满敬畏之心。我真心不觉得这些琐碎的小女子的风花雪月值得印成书，很怕玷污了书籍的美誉。我坚决劝退了好几个出版社的姑娘，偏偏有个叫杨晓燕的理想国的编辑，堪比我的执著，无论我用什么样的理由拖稿赖账，她总是电话短信伊妹儿有计划有步骤地催稿，并笃定地说：我看你的博七年，非常了解你。咱们应该出本书，让更多的女孩子看到这些文字，书名就叫“优雅”。

我对“优雅”这两个字，诚惶诚恐，那是做女人的一个境界。在我二十岁的时候，风华正茂，对这两个字敬而远之；三十岁时，和生活拼得很厉害，觉得做到这两个字很难；四十岁，尘埃落定，方觉“优雅”更多时候是一种心态。

我不敢说自己是一个优雅的女人，更不敢说这本书中的琐碎文字都和优雅有关。我和你一样，在女人 20—30—40 岁的过程中，哭过、笑过、崩溃过、得意过、伤心过、开心过……我只是更喜欢用文字记录下这些过程中的酸甜苦辣。这本小书里的文字，大部分我都保留了当年随笔写成的模样，是希望保留当年的心情，虽然现在看来有各种的文笔和观点的不完美。可是，不完美，不正是我们真实的青春么？

当我再看自己这些当年的小故事们时，很像在逛一家小小的首饰 DIY 小店，店的一面墙上都是小格子，格子里有五颜六色的碎珠子。每一段文字，每一段心情，都如一个小碎珠，有木头的、塑料的、水晶的，也有奇形怪状的，每个人都可以选择一些珠子，串成自己想要的那串项链。

我自己，摇摆不定，今天喜欢水晶的，明天喜欢木头的。这本书也是一样，各色内容，有素雅的，有香艳的，有清淡的，有咸辣的，有的只为博知音一乐，有的是为了和同路人共勉。

最后，真诚地感谢所有那些在路上和我打过招呼，在博客上留过言，在微博上评论的熟或者不熟的朋友们，同行这一段路很多年，揣着你们的赞扬、唏嘘和鼓励很多年，却和大部分朋友无缘面谢。

人相遇，字相见，网络上擦身而过，都是缘分。希望这些散落的文字，终有一段，不辜负你的翻阅。

TRINACRIA

素面朝天，是女人面子上最好的境界。
可以让皮肤最彻底而通透地，和阳光、空气、蓝天白云一起呼吸。

| 2006 年　上海 |

CHAPTER 1
做一个敢素面的女子

如果给素面配一个颜色，白色几乎是最恰当的。

上图　2011 年，意大利卡布里岛　　下图　2007 年，希腊圣托里尼岛

这是徐志摩描写陆小曼的一段话："我爱你朴素，不爱你奢华，你穿上一件蓝布袍，你的眉目间就有一种特异的光彩，我看了心里就觉得不可名状的喜欢。朴素是真的高贵。你穿戴齐整的时候当然是好看，但那好看是寻常的，人人都认得的，素服时的美，有我独到的领略。"

时下整容成风，五年前和五年后可以是完全不同的两个人；时下又流行将各种颜色泼上脸，小小年纪的女孩子就浓妆艳抹地上街。或许都没有什么不好，只可惜错过了素颜的美。

我喜欢将女孩子的气质分为两类：浓的和淡的。天生有浓艳气质的女子，可以经常穿得香艳，蓝眼圈大红唇随意抹都有风情；淡的女子，只一张皮肤姣好的面就足矣，面部的干净和光泽是一种简单朴素的美。

我自己，明显属于长得"淡"的那类。所以就特别在意自己的皮肤，皮肤好才有资本让自己的脸远离各式彩妆品，悠闲地清淡着。护肤是一门不难学的小学问，只要有心，每个女孩子都可以成为自己的皮肤专家。

这本书选登的所有照片，都是这十年来在旅行路上拍的，没有化妆，素面朝天。对一个四十岁的女人来说，大概没有比自己已然不年轻而依然敢于将这些素面的照片印出来给大家分享，更想心里偷偷乐的事了。

亲爱的，你也可以。只要我们真心爱护和在意自己的皮肤，认真地勤奋地持之以恒地护理，素面是每个女子都可以拥有的皮肤境界。

面膜小姐

我极少去美容院，少到两三年被闺密拖去一次半次。总觉得美容床上一躺两三个小时有点浪费时间，既不能聊天，又不能上网，还不能看电视。

我是个常年的失眠症者，还做个常年的需要像空姐一般飞得没日没夜的工作。在 40 岁前经常熬夜加班，平均每天的有效睡眠是 6 小时左右……好像听起来这些因素都对女人的皮肤不利，但是，我的皮肤还是让很多朋友为之羡慕。秘诀只有一个：

天——天——做——面——膜！！！

不必天天都用 SK-II 或者 LaMer 或者“宠爱之名”，那有点奢侈（当然，有条件的女朋友也可以尽情用！），玉兰油、露得清就行。有一次，我在屈臣氏买东西，赶上促销，加 10 元就送一包他们自制的面膜，回家一用，也不错！

重点是要天天做！重点的重点是要坚持！我就坚持十几年，自己的脸已经变成了面膜的活广告。几乎每天一次，坚持不懈，只有在潮湿的城市或者盛夏的时候会改为每周三次。春天皮肤容易过敏，冬天皮肤容易干燥，夏天容易起晒斑，但你只要小心地调换面膜的种类，就可以有效地改善肌肤，有时候真是立竿见影。总的说来，保湿是首选，一年四季都需要，还有美白的、抗衰老的、防过敏的、滋养的、醒肤的……根据你皮肤的需要，准备你的面膜。

做面膜，真是其乐无穷。差不多所有的化妆品牌都有面膜，面膜的种类不计其数。而且，做起来太容易，只需你每天花10分钟，再忙的女人，每天也有10分钟爱漂亮的时间吧？总比兴师动众地花上小半天时间去美容院容易多了吧？

2005年在旅游卫视做“七九吧”电视专栏的时候，每期会请一位明星朋友到现场一起聊聊穿衣打扮经，曾经碰到另外两个面膜小姐，她们是范冰冰和吴辰君。这两个姑娘对面膜同样颇有心得，我们过起招来简直灵感四射，在后来很多年里，我和冰冰每次见面时都会分享各自的面膜新选。记得当时曾经总结出几个面膜小要点，多年后再看，发现依然好用：

1. 不要贪贵，重在坚持。

2. 再贵的面膜也不要在脸上停留太长时间，15分钟足够了！更不要重复使用。

3. 不要轻易用自制的面膜，护肤是门科学，自制的面膜皮肤不一定能吸收。

做面膜的最佳时间及最佳效果：

1. 保湿滋养类的，睡觉前做，效果最好，皮肤可以最大程度地吸收。

2. 刚下飞机，熬夜加班，想让皮肤瞬间有光彩回归，就做含有维C

的醒肤面膜，效果是立竿见影的。

3. 当眼周开始不定期地出现小细纹，这是非常危险的信号，这个时候如果你开始做眼膜，是可以有效抵抗皱纹的！建议持续做眼膜至少 7 天，而 7 天才做一次基本没什么效果。

4. 长途飞行，要随身带着那种管状的不用洗的面膜，涂厚一点，不会吓倒邻座，下飞机时脸上依然有光泽。

5. 某一种你平时用觉得有点油的面霜，与几乎所有质地不涩的保湿霜，你都可以在泡澡的时候在脸上厚厚涂一层，从浴缸出来后洗掉，马上镜子中的你便有“出水芙蓉”的风采。

除了面膜以外，皮肤好的另外几个重要的辅助措施就是我的“四不政策”了——

不抽烟，不喝酒，不化妆（主要指尽量少涂粉底以及散粉，平日里坚决不化浓妆），不泡酒吧，一泡吧就免不了要喝点小酒，熬点小夜，吸点小烟，不管是主动还是被动，对皮肤有百害无一利，对一个女人的健康生活同样有百害而无一利。

面膜小姐之面膜使用须知

在我的博客中，经常能看到从未曾谋面但倾盖如故的朋友的留言，最典型的一句是：晓雪，跟着你做面膜，已经跟了好多年……

每个面膜小姐都有不同的皮肤问题发生，下面这些问题是最常见的，解答如下，希望对面膜知己们有所帮助。

Q：做完面膜到底是洗还是不洗？

A：80% 的面膜，无论是纸型的还是膏状的，都建议大家用清水洗一遍，一遍就够了，再多洗也没有必要；或者，用爽肤水擦也可以。那些浮在脸上的面膜“精华”，因为没有被皮肤吸收，再留在脸上反而是负担了。还有 20% 的面膜，说明书会特别写“无需冲洗”，或者可以代替晚霜过夜，前者也要用爽肤水擦一遍，再继续涂抹你平时用的眼霜和晚霜；后者要涂得厚一些，但其实很容易弄脏枕头，我试过带着面膜睡觉，不太舒服。

Q：面膜在脸上停留多久合适？

A：一般来说，10—20 分钟足够了。有的朋友说，觉得精华还没被吸收啊，在脸上停一小时好不好？——不好，那对皮肤会造成负担的！如果你担心吸收不充分，可以做 3—5 分钟的按摩。

Q：面膜做了一次，好像还有很多剩余精华呢，放冰箱里明天再用一次？

A：NO！那会有很多细菌在上面的，万不可重复使用。如果你想充分利用面膜上的精华，那就把它涂在手上和身上好了！

Q：什么面膜早上用好？什么面膜晚上用好？

A：补水、抗皱和美白作用的面膜都应该在晚上使用；提亮肤色、去浮肿的醒肤面膜在早上用；如果刚下飞机或者白天面色疲惫，而晚上有重要约会，用紧致或者含维C的面膜，都有迅速提亮肤色的效果。

Q：用完面膜还要再用护肤品吗？

A：当然，一个也不能少！面膜只是皮肤的"催化剂"，不能代替任何一个平时的保养品。比如说，当你脸上被晒出了小色斑，开始密集使用美白面膜——说实话，怎么用也不如你当初好好地涂抹防晒霜方便和有效！

Q：连续地使用面膜，眼底出现了油脂粒，怎么办？

A：营养过剩了，小姐！尤其是眼周，和脸上其他肌肤的构造是不一样的，所以，很多面膜会特别注明，要避开眼周，主要指管状的面膜。

Q：从多大开始，要每天做面膜？

A：因人而异，我是从28岁开始的。因为北京很干燥，如果在湿润的南方，我想2—3天做一次就可以了。

Q：不是有一种说法每天做面膜不好吗？那到底好还是不好？

A：不要每天做同一种面膜，夏天太热的时候也没必要天天做，反正我在过去的 10 年中，一年 365 天至少有 250 天做面膜，目前为止还没有副作用。但美容专家的话必须要听得进！人家是专家啊！做面膜的频率确实要因皮肤而异，因季节而异，因地点而异。但是，一年 365 天，咱们就算做不到 365 片面膜，最少最少 100 片，总是要的吧？

Q：皮肤过敏时用什么面膜？

A：皮肤过敏停用所有面膜。只有一种面膜相当有舒缓作用，就是将雅漾 Avene 的舒护活泉水喷在布质敷面膜纸上，每五分钟加喷一次，可以持续半小时。此种方法能立刻缓解过敏时的红肿和瘙痒。

我毕竟不是专业的美容医生，不能解决朋友们所有的肌肤问题。只不过身先士卒使用面膜多年，做时装杂志 11 年，被无数世界名牌化妆品灌输了各种最新最潮流之美容观念——

一个面膜粉丝而已。自己的皮肤，只有自己最清楚。

面膜小姐劝用面膜的理由

我对面膜的推广不遗余力。

劝人天天用面膜，一般我都是先从算账开始的：

第一个理由：省钱省时间

去美容院做美容时，通常会做面膜。比较正规的美容院，一次美容至少200元，一个月四次，再加上车费或顺带喝个咖啡100元，那就是1200元：

1200元+10个小时（每次来回的车程再加做脸的时间），而且才一周一次。

如果自己在家做面膜，每天10分钟，假如每天50元的预算，一个月20次，那结果是：

1000元+4小时，一周五次。

在美容院，你如果加任何一项特殊护理，比如眼部或者颈部，特别的保湿或者抗敏，都要再加一倍的花销；而在家，你不过是一次性投资多买几种面膜。

第二个理由：主动和被动

在美容院，你是被动的，小姐一忽悠，你就心甘情愿地为某一个根本看不懂说明的新产品多掏了好几百！

在任何一个美容品柜台上，你都是主动的，任小姐煽乎，你都可以优哉游哉地慢慢看产品的中英文详细说明，还可以免费试用，然后再考虑掏不掏钱。

第三个理由：一次和五次的不同效果

任何类型的皮肤都可以试一试，尤其在你皮肤出问题的时候，一个星期做五次紧急护理肯定比做一次有效！

第四个理由：不一样的乐趣

有不少女朋友喜欢周末一起泡美容院，其实做脸的时候完全聊不了天啊！

在家，做面膜的同时可以干的事就多了：看电视、上网、微博，收拾衣柜、刷碗，全不耽误。

有过这样的时候吧——今天无比疲劳，连说话的劲儿都没了，更是一头灰头土脸的黯然，绝没有精神头出门打车去美容院了，但其实把面膜敷在脸上的劲儿怎么都还有，而敷完面膜照镜子的瞬间，脸色看着那么风调雨顺，精神头儿回来一半！

面膜改变人生

近两年流行说“× × 改变 × ×”,例如上海世博会的口号之一就是“城市改变生活”。可以改变人生的生活细节、生活习惯非常多。近十年的面膜体验，虽然带着点儿女人臭美的矫情，但对我来说，“面膜改变人生”是真实的感受。

至少女人四十的我现在还经常可以素面朝天地出门，虽然眼底有了小细纹，累的时候会皮肤也会黯淡，但是还是常被人家夸“皮肤好”，极大满足了女人的虚荣心，暗自得意——拜数年来天天面膜所赐。

已经完全想不起究竟是当年受了哪位聪明女友或者美容小姐的启发，开始自己的面膜人生。我身边的所有女朋友，以及女朋友的女朋友，还有博客和微博上的未曾谋面的女朋友们，都陆续开始了自己的面膜体验。只要是有面膜产品的所有化妆品牌，我都乐得去做义务推销员。这是一个不需要花很多钱、不需要花很多时间、乐趣无穷，还能改善皮肤的很值得一试的生活体验——如果你和我一样，懒得去美容院，希望自己的皮肤虽然有了皱纹可是还能光滑、通透、有光彩，天天用面膜是最好的一个生活小选择。

每年天气转凉又变得干燥的时候，和我们中医说的“秋冬进补”的道理一样，皮肤需要“进补”的面膜季就来了，下面继续和大家分享面膜经验，探讨面膜人生。

一、用面膜和刷牙一样是硬道理

我有好几个女朋友在我的怂恿之下，坚持用了一两个星期的面膜，刚说“哎呀有效果啊，皮肤好像是好了很多呢！”……然后就慢慢将面膜冷落在化妆台上，理由总是“忙啊，每天回家都很晚，哪有心情再弄什么面膜啊！”……其实，再累再忙，我们总是要刷牙的吧？做面膜可比刷牙还能兼顾其他事务，把面膜往脸上一敷，你还可以一样玩电脑看电视，做点小家务，啥都不耽误啊！——再忙也要刷牙的吧？再忙也可以用面膜啊！——用刷牙理论说服自己勤用面膜，很有效。

二、面膜种类

1. 保湿是最重要的，除了炎热的夏季，天天用都没问题。

2. 一些有特殊功效的面膜，比如美白、防皱、防过敏可以间歇性使用。

3. 脸型面膜使用起来很方便，管状面膜也非常好用，效果两者相当。

4. 最近两年，市场上的大部分面膜已无需冲洗，用完稍做按摩，让皮肤吸收，直接擦爽肤水，再用精华素和晚霜就可以。但依我个人的经验，即使说明书写的可以过夜的面膜，也还是在过夜前洗掉再涂上平时用的晚霜更舒服。

三、眼膜

1. 眼睛因疲惫临时出现的黑眼圈或者细纹，持续使用一周以上的眼膜会非常有效。

2. 大部分眼膜更合适早上用，用完眼睛明显神采奕奕。我经常在早上似醒非醒爬起来去洗手间的时候，也顺便把眼膜敷上，然后回床上再小眯一会儿，再起来的时候眼睛已经饱饱地吸收了眼膜中的养分啦！

四、面膜不在贵贱

如果提高面膜的使用频率，比低频率地使用最贵的面膜，效果要好得多。这个频率，不是两三周一次，而是两三天一次，在有些干燥、疲惫的应急状态下，甚至可以天天使用。

事实上，不是最贵的面膜才能达到最好的效果，在SASA店，屈臣氏，都可以找到价廉物美又好用的面膜。面膜之秘诀，不在贵贱，贵在“坚持”两字。

关于眼霜那些事

在说眼霜之前，我首先想和女朋友们分享的是：你要知道，即使是这世上最贵的最高科技的眼部护理产品，当眼周出现皱纹的时候，所有的眼霜和眼膜，都无济于事。眼霜和眼膜，只对临时出现的细纹、黑眼圈、眼袋有亡羊补牢的作用。对于天生的，或者已经形成一段时间的皱纹或眼袋，顶多让它们不再加重而已。

眼睛的保养，说来实在是无奈，只能说早用早在意最重要。

我也已经开始有眼底皱纹，但是与同龄姐妹相比，还是略有优势，多年的认真护肤功夫还是有效的。每人的皮肤各有差异，这里所说，仅供大家参考。

关于眼霜

1. 我是 29 岁才开始使用眼霜的。按照美容医生的理论，应该在 25 岁左右就开始使用眼霜。

2. 眼霜的涂抹方法有很大学问。正确的方法是用无名指（他要娶你给你戴戒指的那个手指），从下眼内角开始，转到外眼角，再转到上眼角，一圈，轻轻地点涂。因为无名指最没力气，眼周皮肤娇嫩，万不可使劲。

3. 早晚各一次，爽肤水后涂抹。如果眼周出现油脂粒，则要少涂一点。

油脂粒可去美容院用专业消毒针清除。

4. 眼霜瓶子通常很小，可是价格在护肤品里通常最贵。要是经济条件许可，买你可以承受的贵一点的眼霜。

关于眼膜

因为眼周皮肤和脸部其他皮肤构造是不一样的，一般的面膜不一定合适眼部，所以要用专门的眼膜来护理眼部。

眼膜的使用方法

早晨，晚上，去 party 前，重要约会前，长途飞机后，随时都可以使用；一般在眼周停留 10 分钟，不用冲洗；夏天放冰箱里，使用起来效果更好。

眼膜的使用频率

当眼睛出了小问题时，比如持续地熬夜加班、持续地坐飞机之后，只有密集护理才有效，至少连续用 5 天，才会有明显的改善。

很重要的一句老话

男靠吃，女靠睡。

此话是硬道理。睡眠充足，不熬夜，不抽烟，少喝酒，对眼睛来说，比再贵的眼膜、眼霜都有效。

出现了皱纹怎么办?

没办法。所有的眼部化妆品，比起其他化妆品来，又贵，效果又不那么明显。只有“减弱”作用，没有消除作用。

那么，就把皱纹当作岁月送你的礼物吧，要是看着它实在不顺眼，就试着学习用遮瑕膏吧，很有效，可以暂时地让自己的眼睛光彩照人!

再或者你有勇气去尝试时下流行的微整形，如果赶上好的医生、可靠的医院，皱纹和黑眼圈会明显减弱甚至消失。只是我不大赞成，总觉得微整形说到底是违反自然规律的事，老了就是老了，非跟岁月对着干不如享受岁月。

美人不晒太阳

不是吓你，皮肤的衰老，斑点的产生，过敏的加剧，80%都和紫外线有关，所以——美人都不晒太阳。

我不是皮肤科的医生，但是做杂志这些年，参加了几百次中外化妆品牌的发布会，采访过数位中外美容专家，被灌输了各种美容护肤经典理论和最新概念，牢牢记住的一点就是：如何抵抗紫外线对皮肤的侵害，到今天为止依然是全世界的美容专家们在继续攻克的难关。

“继续”的意思就是，别看市场上有这么多防晒产品，但是科学家们还没完全“攻克”紫外线这个皮肤的天敌。

别羡慕杂志上登的那些好莱坞明星动不动就到什么什么岛和情人晒太阳去，我见过的大部分外国明星，肤质比我们亚洲女孩粗糙得多，我们的皮肤更娇嫩，所以也更容易被晒伤。晒太阳这事不合我们亚洲女人的皮肤路数。

如果想把皮肤晒成那种健康而性感的古铜色，要涂那种既可以让皮肤吸收颜色，又可以抵挡紫外线中有害元素的防晒霜，曾经帮女朋友买过，不过我们中国人自古认为“一白遮百丑”，要美黑的姑娘还是少数。

1991 年，防晒霜才开始出现在美容柜台上，鼻祖品牌是美国倩碧

Clinique，人家的皮肤医生也是辛辛苦苦研究好多年，才将全世界第一瓶专业的防晒产品送到柜台上。每个人的皮肤都有很强的个体性，比如说我，用很多品牌的防晒霜都有往脸上涂一层白漆的感觉，过一会儿甚至可以给搓下来，那个感觉太差了。所以我一直都在试可以和皮肤融洽地贴在一起的防晒霜，让脸上终于不再出现“搓泥”的情形。

防晒霜除了可以防止紫外线对皮肤的伤害外，对皮肤其实没有更大的好处，晚上万不可涂，回家就可以洗掉，但是要出门前，一定要涂；要是你今天的工作一天都在户外，那包里还要带上一瓶，一般 3—4 小时补一次就可以。

如果你打算周末和朋友去爬山野足，或者正在计划和家人一起海边休假，建议你准备：

高倍数身体和脸部防晒霜 + 墨镜 + 帽子 + 晒后修复面膜

而且最好：

在沙滩上不要超过 30 分钟；如果晒伤，只可用修复性的精华素，其他精华素赶紧停；每天两次使用过敏修复面膜；确定晒伤情况已经完全好了，才可再用美白产品。

美白不能让你变白

全天下的美容产品广告都有“言过其辞”的嫌疑，虽然动机是好的，都为了让女人更爱自己以及更美丽，但是，很明显误导了很多人，尤其是美白产品的广告。

那一年做旅游卫视的电视专栏节目主持人的时候，我记得整个夏天收到的读者 E-mail 问题中竟有 40% 问的是关于美白和祛斑的问题，而问题如出一辙：

“我用了××产品，为什么没有变白啊？为什么没有广告上说的效果啊？”

亲爱的，也许你没有想到，那不全是广告的错，我们的期望本身就是错的！

——美白产品从来就不会让肌肤真的变白，不管那些广告如何说。

我曾经拿着两个色号不一样的粉底，和一个对美白产品痴狂的女友解释：正确的粉底选择是让粉底颜色尽量贴近你的皮肤颜色。那么，现在你的皮肤用 2 号粉底，你期望在用了几个月的美白产品后，你的皮肤就变白啦，你可以用 1 号甚至 0 号粉底了——错，即使你用的是最贵、最好、有着最动听广告语的美白产品，你依然还是用 2 号粉底。

那么，我们还要不要美白产品？我们用了又可以达到什么效果？

当然要用！！！尤其是当盛夏即将来临的时候。如果你不是有心让自己变得更黑更古铜色（那是另外一种肤色，也很好），你的梳妆台上现在就该添置美白产品了。而美白产品可以达到的功效以及使用备忘如下：

1. 让肤色均匀。均匀是我们不太提的一个词，却是与我们的脸色息息相关的一个词，白点儿黑点儿其实并不重要，重要的是“均匀”，这样你看起来才可能是有光泽的，透明的，神采焕发的。而美白产品确实有这样的功效，让你整个脸看起来更“干净”，当然“干净”了也可能会有更“白”的错觉。换言之，有的女朋友不涂粉底不敢出门，其实就是因为觉得自己的面色不够“均匀”，而不是不够“白”。

2. 如果你的脸上已经有斑点，任何一瓶化妆品都不能完全地祛除它（去美容院，用物理手段可以祛除），但是，美白祛斑产品确实可以有效地让它不再变深，甚至变浅。我们脸上的任何一处小斑，都热爱紫外线，稍一晒，就会加深，所以，对色斑来说，细心地防晒＋美白才会事半功倍。

3. 美白真的是护肤领域中的高科技结晶，所以，面对那些有很多听不懂名词的说明书，还是耐心去看一看，或者多给柜台小姐 5 分钟，听她把话讲完，哪些理论对自己是有用的。因为每个人肤色不匀的原因并不一样（晒的？累的？压力大？刚生过宝宝？等等），要找到最对症下药的属于你的那一款美白产品。

4. 我曾经因为是敏感皮肤而远离美白产品很多年。后来过敏程度减轻了，这几年才开始在每年的 4 月—8 月，在自己的护肤程序中加一支美白精华素或者美白日霜、晚霜。并没有很可靠的理论依据说过敏性皮肤就一定不能用美白产品，但是从自身的经验来看，美白产品确实比其他产品更容易过敏，不过最近两年护肤产品的科学家们明显提高了美白产品的抗敏性。

5. 同样没有理论依据的说法，我觉得大部分的美白产品（我用过的，至少有 10 个品牌）都不是那么让皮肤滋润，所以，在美白的同时，一定不要忘了保湿（比如做保湿面膜喽！）。建议晚上用美白产品（精华素或者有美白作用的晚霜），而白天还是用有保湿作用的日霜，再加一层防晒霜。

6. 当我第一次听说某品牌出了美白眼霜甚至眼膜的时候，我觉得美容厂商们真是疯了，眼睛哪里需要美白啊？！后来我无意中用了一次美白眼膜，意外地发现有特别的效果，但是和美白并没有直接的关系。比起普通眼膜来，美白眼膜可能是因为含有维 C 或者某种淡化色素的成分，所以用完后下眼袋看着比较亮，而那“亮”的感觉确实让细纹看着不那么明显了。

7. 听到这样的推销建议你马上掉头走人：

“您用了我们的产品一个月后，色斑就会消失了！”

“我们的美白产品可以让你有换肤的效果！”

“只要您用我们全套的美白产品，就会变得越来越白！”

……

——“白”并不是我们肌肤的终极目标，而均匀的肤色，才是我们从 18 岁到 80 岁应该追求的肌肤境界。

皮肤保湿小常识

早上醒来，你发现脸上居然起了小皮；下午四五点，你觉得自己的皮肤好像要裂开……每年换季的时候，我经常接到女朋友的求救短信，内容如出一辙：雪，最近脸太干了，用什么好呀？有什么招呀？

下面所说的，绝对算不上“秘诀”，基本是“地球人都知道”的道理。

一、每天喝 10 杯以上的水

傻子都知道的道理，可是不是每个人都做得到。随时把你的水杯攥在手里吧，再忙也有喝口水的时间。从健康角度来讲，早上更合适喝果汁（但我的中医医生说，早上第一杯水一定不要是果汁，建议在 11 点后再喝果汁。第一杯健康的水就是白开水最好），晚上更适合喝牛奶。我只偏爱白开水。那些听起来都很健康的黄瓜或者胡萝卜汁，要是你能习惯它们的味道，当然更好！

二、换一款更保湿的保养品

每个人的皮肤类型在不同环境、不同季节里，是会变的！也许，你上个月刚刚买的面霜这个月就觉得不够湿润，两个方法：1. 加一款保湿精华素；2. 把盖子拧紧，放到柜子里的阴凉处，再去买一瓶保湿作用更好的面霜，这一瓶可以到夏天再接着用。

三、勤快地做保湿面膜

你可以每周两次、三次甚至天天做保湿面膜。除了特别注明的面膜，建议面膜在脸上停留时间不要超过 30 分钟（20 分钟足够了！）。否则水分会同时在空气里蒸发，脸会更干。

四、暂停所有粉质产品

要是你已经觉得自己的脸已经干得要出裂纹了，那最先要做的一件事是停止一切粉质产品。比如粉底（不管是不是号称保湿的粉底）、散粉以及粉饼。如果因为工作需要一定要涂的，那就先涂底霜，让粉底和皮肤隔离开；或者直接在粉底里加保湿霜，在手心里揉匀了再在脸上涂。有一款水嫩保湿霜，做这个功用简直能和粉底搭配得天衣无缝！

五、随身携带保湿喷雾

有很多品牌都出了保湿喷雾，有各种便携装。我的包里就总带着一小瓶倩碧的粉色保湿润喷雾；办公室里有一瓶紫色的 LaMer 喷雾。还有药房品牌雅漾和薇姿的喷雾，都是办公室的必备小瓶子。觉得特别干的时候，你都可以随时喷洒！皮肤敏感的时候，雅漾是非常安全的选择，可以解皮肤一时干燥之急，效果显著。用完喷雾，切记要用面巾纸吸干停留在脸上的水分，不然脸会更干。

六、在电脑附近和卧室里添个“吞云吐雾”的加湿器，还是有效的！

皮肤是娇气的，对它要像对自己不会说话的 baby 一样呵护。你要凭感觉帮它判断：它喜欢这款面霜或者面膜吗？用了之后舒服吗？感觉是不是特别好？——你对它足够好，足够有耐心，它才会每天光鲜。

皮肤好的“秘诀”

因为皮肤好，总是被人家问:你用什么化妆品啊？怎么保养皮肤啊？其实，我的皮肤好起来是三十岁以后，绝对不是天生丽质，只能说是自己为自己“养”出了好皮肤。

以下所说，都不算“秘诀”，都是不难做到而只要坚持做，就会给自己带来好皮肤的小习惯。

一、要由内而外地“养”皮肤

1．心情好，皮肤好。很感恩生活和父母培育我的乐观性格，当然有伤心、难过、委屈、失望等等，但是总是有办法让自己在心情最坏的时候用最快的速度雨过天晴，重新微笑。

2．不仅微笑，而且可以经常地大笑。别怕大笑长皱纹，大笑是真的可以让我们的心理和皮肤都年轻。

3．食补也是很重要的。我有一些不健康的饮食习惯，比如天天抱着饼干桶和巧克力罐，还迷恋麦当劳，尤其对薯条欲罢不能。但是，我还是一个对吃很认真的人，每顿饭，哪怕办公室里盒饭，也要荤素搭配。我也是白开水狂人，多年来每天都习惯喝大量白开水。我杜绝吃所有药片类补品，不管是维生素 ABCDE 还是有各种新鲜说法的药片。

二、要学会做自己皮肤的医生

1. 我不做编辑时，也是时装杂志的热心读者。对美容版从来一个字不放过。美容是一门知识，是要我们不断学习的。杂志的美容版比所有产品说明书有趣多了，也比化妆品柜台的售货小姐客观多了，人家给总结好的条条律律、各种秘方，干吗不看？

2. 皮肤不会说话，全靠我们去感受它。好多朋友总是问别人，我到底适合用什么呀？其实答案要自己给，皮肤是在自己脸上呀！去买化妆品时脸皮一定要“厚”，多听更要多试，一次试不准就再试第二次。

3. 为自己的皮肤解决问题。除了特别天生丽质的，每个人的皮肤都会有问题。有人长痘，有人过敏。我曾经被我的严重敏感性皮肤困扰了五六年，留心看所有杂志里关于过敏皮肤的文章，去医院皮肤科检查过敏源，精心地为自己选择护肤品。有一天我忽然发现，自己的脸已经很“坚强”了，不再动不动就过敏满脸红得起小包了。

三、要勤快地对待自己的皮肤

1. 天天做面膜麻烦吗？一点不，和我们每天需要刷牙没什么区别。

2. 每天早上从洗面奶到防晒霜至少要五道护肤程序，繁琐吗？不过五分钟之内就可以全部完成。

3. 换季要换护肤品；换城市、换环境，也可能需要给你的肌肤换保养品；我们在长大，皮肤也在变化，每年更新你的梳妆台，听着很复杂？——和你每天需要换衣服、到哈尔滨要带件大衣、去香港箱子里要放吊带裙没分别。

四、要用阿 Q 精神对待皱纹

30 岁以后，我们的皮肤，确实是过了“青春”期，确实在衰老。

要是我们能做的预防措施都做到了，从 20 岁开始每天涂防晒霜，25 岁开始每天涂眼霜，30 岁开始用紧肤产品，当然，还有天天做面膜哈——那还是长皱纹了，那还是有斑点了，那还是皮肤开始松了……

我们又不是妖精，这种“衰老”一点都不可怕，我们还有女人味道了呢，我们还成熟了呢，我们还有那么多岁月赋予的经历和美好回忆了呢！

准妈妈护肤经

2008年，对国家来说有一件大事叫奥运会，对我来说有一件大事是怀孕和生娃。我一向引以为傲的皮肤，在整个孕期呈现了前所未有的混乱状态！

怀孕两个月起，就开始满脸起包。曾经在左眼角起了小拇指指甲盖大小的包，连眨眼睛都痛，足足挂了一个多月才下去；然后就是满脸此起彼伏地起小包；整个皮肤忽而觉得干燥得要命，忽而又觉得满脸出油……总之，孕激素和雌激素一直在脸上打架，打到小娃娃们都八个多月了，才总算平静了些。羡慕那些因为怀孕而脸色红润光滑的准妈妈们，我一向不错的皮肤，那几个月给自己出了不少难题。

因为皮肤出了问题，所以很认真地咨询了一些美容编辑和美容专家，以及医生和各位有宝宝的妈妈，得到的心得如下，和大家分享。

1. 不要轻易更换护肤品的品牌

怀孕期间，皮肤的适应能力下降，所以，不管出现什么情况，最好不要更换你之前用的护肤品牌。

2. 皮肤状态不舒服时，停掉精华素和面膜

有不少精华素在孕期使用时，你会发现和平时的感受完全不一样，那就先停掉；面膜也是一样，我这个面膜小姐也暂时停止了每天使用面膜。只有在皮肤觉得很干的时候，用一用保湿的很温和的面膜。

3. 出门一定要使用防晒霜

怀孕很可能会让脸上本来的斑点加重，还有可能出现蝴蝶斑。最有效的办法就是注意防晒。我前面写过一篇文章叫“美人不晒太阳”，但是，准妈妈是需要晒晒太阳来补钙的，出门的时候，一定一定要涂防晒霜，找那种清爽质地的防晒霜。最好再戴上帽子或者墨镜。如果出门时间长，一定要 2–3 个小时补一次。

4. 可以化淡妆

我咨询过医生，到底孕妇可不可以化妆，答案是只要准妈妈不觉得自己的皮肤不舒服，化妆是没问题的，不会对宝宝有什么实质的损害。

我个人的意见：如果你平时有化妆的习惯，或者有活动要出席，选择有品牌的质量可靠的粉底和口红或者唇彩；化淡妆，浓妆很可能会让自己的皮肤觉得负担重；卸妆不要偷懒，一定要非常彻底。

5. 颈部和眼睛

怀孕期间，我一直处在严重失眠的状态里，有天早上照镜子忽然发现，自己的颈部和眼睛都出现了明显细纹，有一天甚至还出现挺严重的黑眼圈。因此亡羊补牢，开始认真地使用颈霜和眼霜，以及眼膜，坚持了两个月，效果还是很明显的。而且这两个地方不像脸部有那么大的变化，和平时的状态差不多，所以只要不嫌麻烦地护理，是有效果的！那些脸部暂时停用的精华素，都可以用在颈部和手部的啊！

抵抗妊娠纹

刚怀孕的时候，有两个贴心的女朋友给我展示了她们生宝宝时落下的妊娠纹，一个女友自嘲说自己的肚子是西瓜皮，另一个形容得更恐怖，说是毛毛虫趴在了屁股上……总之，看得我心惊肉跳，纵然有着一颗无私的做母亲的心，在这件事上，臭美的心还是占了上风。我决心认真研究妊娠纹，立志不让自己的身上有一条“毛毛虫”！

我的医生首先打击了我，说抹什么都没用，该长还是得长。我就是不信，心想，身上的皮肤也是皮肤啊，不是和脸上一个道理吗，伺候好了我就不信它还长纹!

先看书，所有的“孕妇必读”上写的都差不多，最简单地说，就是身上皮肤被撑开，肌肤的弹力纤维不能忍受剧烈的张力而断裂，导致了不规则的白色纹路，也就是妊娠纹的产生。

然后请教自己办公室里的 *ELLE* 编辑部美容总监 Helena，有没有可能不留下妊娠纹，预防的要点是什么？ Helena 非常肯定地说，当然可以。先要让皮肤有足够的弹性和滋润度，这样皮肤至少有可能禁得住几个月后的迅速扩张。

最后我问了很多生过孩子的女朋友，以及很多品牌的护肤讲师，得到了很多心得。

以下就是我经过十月怀胎（还是双胞胎！），肚子虽然被撑得老大，但是到最后一道妊娠纹也没有的心得。不一定适合每个人，也不一定都符合各种护肤科学理论，只是这确实是我的亲身经验，仅供有了身孕不忘臭美的准妈妈们参考。

一、前期预防的身体滋润乳

大部分防治妊娠纹的乳霜说明书都说，从怀孕第四个月抹起，因为前三个月胚胎太小，肚皮还没变化呢。但是，这个时候，就像我们 Helena 说的，要保持皮肤的足够滋润和弹性。如果你平时没有抹身体润肤乳的习惯，那从知道怀孕那天起，就赶紧开始用；如果你平时就有这样的好习惯，那就要加强按摩。

身体乳的品牌这里就不列了，市场上卖的所有品牌都可以，只要是能让皮肤滋润的就行！

二、我用过的预防妊娠纹的瓶瓶罐罐

Clarins 娇韵诗 Stretch Mark Control

这一瓶很经典，几乎被所有我认识的准妈妈推荐，2009 年夏天才在内地上市。在整个孕期至少要用四瓶。另外还有一瓶洗澡时用的 Huile Tonic 身体调和护理油，很多女孩称之为“黄油”，配合使用，效果更好。

Biotherm 碧欧泉 Biovergetures 美肤局部调理霜

清新不油腻，味道很好。用完了可以马上穿衣服，不会沾在衣服上。

Avent 新安怡润肤霜和润肤油

Avent 是孕产妇的专用品牌。买和用的时候都觉得人家一定很专业，反正是没错。

L’Occitane 欧舒丹亲子按摩润肤膏

质地非常滋润，我的一个做化妆品行业的女朋友自己试过，她说效果“很奇迹”，本来是要给宝宝按摩用的，结果对妈妈的皮肤也很有效！

Lierac Phytolastil Solute 除纹精华液

这一瓶是要非常隆重介绍的，是台湾的美容大师牛尔推荐给我的，牛尔说他身边很多准妈妈用过，是屡试不爽的！这是个法国品牌，在台湾、香港和欧洲都买得到。它是一种精华液，在涂上述推荐的乳霜之前用的（如同脸上的精华液一样）。涂上的感觉没什么特别，很像脸上涂抹精华素的感觉，很薄很细，最重要的是，的确很奏效！唯一遗憾的是，我还没有在内地的化妆品柜台发现它，在巴黎的 Sephora 就有得卖。截至本书出版，在北京蓝色港湾的欧洲产品店，已经发现这个产品终于现身国内了。

三、涂抹的窍门

1. 认真最重要，不能三天打鱼两天晒网，一会抹一会停。能够每天两次最好，用量要够。

2. 涂抹的几个部位是:胸部、腹部（尤其别忘了腹部两侧）、臀部和大腿。

3. 至少按摩三分钟，让皮肤彻底吸收，按摩的手法产品说明书上都有，按摩方向别错了。

四、妊娠纹之初的 SOS

有好几个女朋友跟我说，她们在怀孕中期皮肤都还好好的，在最后一个月，甚至最后一个星期的时候，皮肤出现了妊娠纹。我也不例外。

在临产前的两周，皮肤开始越来越干燥，有的部位皮肤变得粗糙，我腹部的两侧皮肤先是发红，出现了几道红色纹路，然后就奇痒，跑去医院看，医生说没事，就是皮肤给撑的，恐怕要长妊娠纹了，我一听要功亏一篑呀，赶紧研究紧急措施。

1. 于是我每天坚持涂三次精华素和润肤油，在两侧出现危险信号的皮肤做重点按摩吸收。

2. 我想起牛尔在台湾自己研制的护肤品中有一瓶被台湾的美容编辑称为皮肤 SOS 的玫瑰精华油，既然是 SOS，也许用于妊娠纹也可以帮助皮肤镇定和恢复呢！于是每次倒几滴在发红的皮肤上，按摩吸收，很有效果，几天后就不痒了！

到我躺到手术台上的时候，纹路已经变得不明显，只是皮肤摸着还有些粗糙，出了月子后就完全恢复光滑如初了。记得我被推进产房的时候，护士和助产师都对我硕大的光洁无比的肚皮啧啧称奇呢。

抵抗妊娠纹的过程很有意思，好像给自己出了一道美容的攻关课题。事实再一次证明：没有丑女人，只有懒女人，哈哈，连我的医生都让我说服了，已经在产房战斗了近 50 年的资深老医生说，她从此要告诉产妇们，妊娠纹真的是可以通过护理避免的！

这一年头发半长不短很没型，就四处搜罗了发带，女人身上总可以有一件小东西，可以和自己在瞬间相得益彰。

| 2007 年　希腊圣托里尼 |

没有比吊带裙更合适西西里的夏天了。楼上读书的少年一定不知道，他成了这段记忆片段的风景之一。

| 2011 年　意大利锡拉库萨 |

Coco Chanel 女士的金句中，这一句流传很广：潮流瞬息万变，唯有风格永存。

| 2004 年　巴黎 Chanel 女士康朋街公寓 |

CHAPTER 2

做一个有风格的女子

关于女人穿衣打扮那些事，说一宿也说不完，写部长篇也写不尽。

千言万语，其实最想和女朋友们分享的只有一句：

我们可以不年轻，可以不漂亮，可以不苗条，但是要有自己的风格，要有自己的范儿。

而所谓“范儿”，和衣服本身的价格和品牌没有直接关系，和款式和质地有些关系，和自己的身材、气质是不是气场一致最重要。

我经常在街头闲逛的时候，会被路上打扮巧致、气质特别的女人或女孩子吸引，她们身上，经常没有一件名牌，吸引人目光的是个“劲儿”，那种“劲儿”让这个人脱颖而出。

我们都喜欢买衣服，喜欢自己在镜子前试穿新衣，归根结底要修炼的，是自己清楚地知道自己最合适什么样的衣服，可以尝试什么样的新衣服，而什么样的衣服无论多流行永远都不合适自己。

做一个有style的人，不难。多看看时装杂志，每天在镜子前站一分钟，每个季节收拾一次衣柜，身边有三五个穿着有型的女友，齐了。

上图　2002 年巴塞罗那　　下图　2010 年巴塞罗那

八年与同一面老墙相约。千年古墙，有缘倚靠，
也算是和旧人旧事擦肩而过；
再过千年，相信依然有伊人相靠，
多少风月都被这一面老墙见证。

风格是怎样炼成的

一个女人，可以不够年轻，可以不够苗条，可以不够漂亮，但是最好，有自己的风格。

做时装杂志十一年，好多人问过我，这个行业带给我本人最大的变化是什么？一直没认真想过答案，因为觉得一个行业做了十年，不是很久而是太短，不过是小徒弟才出师的年头，所有的变化并不清晰。有一天碰到十几年未见的大学同学，同学说，其实你在穿衣方面的变化很大。这个行业其实教会了自己怎么找到和树立自己的风格，尤其是，穿衣打扮的风格；其他方面的风格，更准确地讲，应该是生活赋予的。

十年前，我对名牌要用仰视的目光，第一因为买不起，第二觉得那些 logo 深不可测，怎么念自己心里都没底；十年后，我对名牌用平视的甚至俯视的目光，时装行业教给了我所有品牌 logo 背后的设计师、历史、设计灵感、文化背景……这个行业教会我如何判断一件衣服一个包是不是真的会流行，是不是真的是好设计。有些名牌我依然买不起，但是享受好的设计好的剪裁好的创意，还可以对即使是大品牌大设计师的蹩脚设计品头论足嗤之以鼻，懂得了 logo 不再是判断一个设计好坏的标准。

十年前，我总是想不通那些时装设计师们忙来忙去让那些瘦得只剩皮包骨的模特在T字台上走来走去到底能给我的实际生活中带来哪些搭配灵感；十年后，我可以和整个团队一起对每季的关键流行点倒背如流，可以和一个完全不看时装杂志的朋友讲明白那些T台的图片对自己的穿衣可以有什么样潜移默化的影响。

十年前，我认为自己已经很有风格，因为我几乎只穿黑白灰三个颜色的衣服，决不让再多的颜色出现在自己身上；十年后，我的穿衣风格千变万化，可以轻松地从每季最新流行点中找出合适给自己点缀的那一点，掌握自己身上的衣服变和不变的技巧，我的女朋友们和我自己，总是可以看到一个有些新鲜又有些东西永远不会变的我。

十年前，作为一个读者我很苛刻，曾经为一个错别字给杂志社写信投诉；十年后，希望自己是一个博采众长的主编，有自己的想法，又听得进所有不同的意见。

十年，在人生中很短，在一个女人的青春中很长。仍然希望自己是新手，可以有犯错的机会和学习新东西的激情；仍然希望自己还是那个会在报亭前等着新杂志上市的热心读者，对杂志中的每张图每个字有不厌其烦的热情；仍然希望自己偶尔还是那个没想清楚到底什么风格是自己的风格的镜子前困惑的小姑娘，这样就会有无限的胆量去尝试新的更新的更更新的潮流……

做一个有自己风格的女人，对内，知道取舍；对外，保持好奇心很重要。

复旦 style

总是在北京上海之间飞，在一次上海回北京的飞机上，碰到一个来搭讪的小伙子，上来就问我是不是在复旦上过学？我心里说，我倒想呢，不过确实连复旦的门朝哪边开都不知道；后来小伙子说，因为我穿得很“复旦 style”，而他在复旦读过书，所以以为碰到了校友。

我倒有点儿诧异了，复旦也有“style”？可见真的是一方水土一方人。style 直接翻译成中文的意思是“风格”，其实很难用一个准确的中文单词将 style 说清楚，style 在我的理解中不仅包括你身上的时装因素，还包括你的发型、妆容、谈吐、举止，甚至眼神和那种很难用语言说出的你的整体形象带来的综合个人魅力。如果用北京话来翻译的话，“范儿”也许最靠近原文的意思。

几十年以来最受追捧的 style icon 应该是奥黛丽·赫本，赫本的 style 现在我们闭着眼睛都能说出来，再没有像赫本那样的一个明星，可以让衣服和自己的气质如此天衣无缝。所以后来，女人们即使没有机会长成赫本的模样，至少有机会让自己穿成赫本的 style。我自己也是其中一个，数十年来我都迷恋赫本裙，那种裙摆有一点蓬蓬的，穿起来就觉得自己有点儿像公主的裙子。

对女人来说，有一个自己的style比有更多的衣服、鞋和包更重要，而且，style和品牌也没有绝对的关联。虽然说一个女人在一生中的不同阶段因为年龄和阅历的不同，会呈现不一样的气质，但是就像我们的品质一样，有些地方，我们一生都不会有太大的改变。那么，你要找到那些地方，打造自己的style。这样，你在买衣服的时候，不会因为减价而乱买一气；而有的衣服，即使贵得让你有点心疼，也值得毫不犹豫地买下来，因为你知道自己一定会穿很多次——它是你的style。

我给我的同事们讲这个小故事，我的同事第一个反应是："哇，现在和女孩搭腔儿有新路数了！"第二个反应是："你那天穿的什么呀？！"——我那天穿了一条灰色的百褶裙（我那个冬天好像都在穿百褶裙！），上面是一件有点老式的娃娃领、双排扣的灰色小外套。

这是"复旦style"吗？——这是"晓雪style"。

每天每晚每周每月每年

无论我们生得如何，做何种职业，每个女人都希望自己是美的，美好的。其实，让自己美好只是需要在每天每晚每周每月每年里，对自己精心那么一点点。

每天睡觉前花十分钟，想想明天早上要穿什么出门，配哪条丝巾，戴哪个小首饰，你就一定不会邋遢着上班，囫囵着穿着不配套的衣服和鞋子等着同事挑剔的眼光来责怪——每天穿得优雅要经过很多的历练，每天穿得得体只需打开衣柜多想五分钟，在镜子前多站五分钟。

每天晚上花十分钟，认真地洗脸，负责任地为自己的皮肤选一款最合适的面霜，最好再做一个面膜，为皮肤做一个简单的护理和保养，持之以恒，我可以向你保证，你的皮肤永远都可以比你的实际年龄年轻十岁。

每周花几个零散的半小时时间，看一本好书。一本好文字，是我们心灵的面膜。可以让浮躁的心，瞬间安静下来；可以让焦虑的心绪，有了重新出发的动力。

每个月花两个小时，读一读时装杂志。不要以为时装杂志里那些新出炉的漂亮图片离你很远，那些图片可以帮助你练就眼光；那些新的美容科技和瓶瓶罐罐，一定要读得连图注都不放过，有一天你自己就可以是自己的美容医生；那些关于时装大师以及时装小编关于装扮的技巧和建议，更要活学活用，你可以迅速地成长为自己的风格设计者！

每年用五天的时间，去一个你没去过的地方。少睡几个假日的懒觉，少打几轮麻将，推掉一些可有可无的应酬，省下一些可多可少的花销，收拾好行李，让自己打开眼界。对一个女人来说，心胸的开阔和心界的宽容，是优雅最不可缺少的附加剂。

每年，再用几个安静的不忙的夜晚，给自己一小段可以独处的时光。用这一段时光，稍微梳理一下平日里匆忙的思绪。有些痛，要及时地放下；有些做了又后悔的事，要适时地忘记；有些烦躁、不满、埋怨，要果断地把它们就留在那个晚上。每一次太阳升起的时候，都是一次新生的机会。

一个美丽的女人，不仅要有光滑的肌肤，整洁的外表，优雅的衣着，还需要有柔而不娇、坚而不厉的个性，善良、宽容的内心，和积极阳光的心态。

而事实上，做到以上这些都不困难，你只需要：对自己的脸、自己的身体、自己的心，勤快一点点，就真可以成为一个优雅的女人。

天天换衣服

我大学毕业工作后的第一家公司，董事长是个在香港传媒界很有名的资深前辈，人称“胡爷”，据说是香港七八十年代历届港姐选美的评委之一，他最得意的是张曼玉当上港姐就是他当年慧眼识珠的。胡爷并不常来北京看我们，来的时候在我印象里也基本不管正事，就管员工的穿衣打扮。那个时候我刚大学毕业，在穿衣打扮方面还没太开窍，他老人家的教诲我在很多年后依然觉得，受益终生。

——天天换衣服

胡爷说：没衣服？两套衣服总有吧，那好啊，一三五一套，二四六一套，周末穿睡衣在家睡大觉！不要让他看见女孩子穿同一套衣服第二天出现在办公室，看起来像昨晚没回家，年轻女孩子，名声还是很重要的。

——逛名店

一天午后不忙，胡爷拉着我去逛王府饭店，王府饭店是 80 年代北京最奢华的地方，所有的名牌最早在王府开店。我那个时候一年工资也买不起那里的一件衣服，所以很没有底气地跟老爷子嘟囔不要去那里逛，什么都买不起呢……胡爷当时非常坚定地说：记着，丫头，这里的衣服不只给那些傍大款的无知的女孩子准备的，也是给你准备的！因为你爱漂亮，有才华，又用功，一定相信，有一天，你会买得起这里的衣服！现在，你要先学会有胆量在这里试衣服！

——logo

胡爷说：最不会穿的女人就是把一身 logo 穿在身上，再漂亮也是人家 logo 的本事，不是人的本事，聪明女人要会藏起 logo 的光芒，让自己发光。

——女人的浓和淡

胡爷说：女人不是按照漂亮和不漂亮来分的，是按照浓和淡来分的。像我，就是淡的女人，所以一辈子都不必花枝招展，浓妆艳抹，干净和优雅就是我应该追求的风格；而浓的女人，尽可以招摇，是另外一种风采。

——为谁打扮

胡爷说：忘记男人，你首先要让你看着镜子里的自己顺眼，这样你出门的时候心里会自信，脸上才有光，男人们才会看你，根本不用动不动问男人：我穿成这样好看吗？你自己觉得好看就是好看的！哪个男人看你不顺眼让他去看别的女人好了！

亲爱的胡爷，今年应该八十多岁了，也许他想不到，他二十年前对一个刚迈出大学校门的女员工说的话，这女孩会如此清晰地记了这么多年，而且有机会放在自己的书里，和更多的女孩子分享——谢谢胡爷，希望老爷子身体健康。

丝巾小赋

特别喜欢丝巾。

丝巾是那么一种配饰——不是一定要有，可是有了就多了一点风情，一点难以用语言描述清楚的女人的柔情，一种难以用文字写明白的女人的颜色。

即使我们是一个色彩爱好者，也不可能把所有颜色都穿上身。而丝巾，经常可以补足衣柜里那些没有的衣服颜色。

比如橘色。很多设计师都爱橘色，同时也认为橘色是最难穿好的颜色之一。私下里也觉得橘色是那种五官要长到无可挑剔，皮肤要嫩到完美无缺，气质要如仙女下凡的女人才穿得起橘色（比如当年的林青霞吧！），因此自己绝无勇气将一件橘色外套穿上身。

而橘色丝巾，一直是大爱。多年戴橘色丝巾以来发现，橘色丝巾是最好搭配的丝巾颜色之一，上班配白衬衫，黑外套都是点睛之笔；假日里配条纹衫，最简单的套头针织衫，都可以让最平常的衣服多一抹亮色。以前觉得我们黄皮肤戴橘色不好看，试了后发现不是那么回事，我们可以戴橘色戴得很有味道。

每一条丝巾都是有故事的。对我来说，每条丝巾都是一段小小的回忆。

有一条，曾经是在异乡出差的雨天，穿得单薄，冷得瑟瑟发抖，冲进街边的小店，抓到一条披肩般大小的大丝巾裹在自己身上，一边照着店里镜子一边就问老板娘，多少钱？好冷的天，正缺这一条呢！结果人家老板娘笑眯眯地抬起头说：那是我自己的，不值什么钱，你戴着挺好看，喜欢就送你啦！

有一条，是个盛夏的下午在杭州出差，天热得喘不上气，在杭州丝绸街上看到那条绿得极透亮的丝巾时，觉得天气都凉快了。买下后想即刻显摆下，又觉得围脖子上实在热，就系在了背包上，结果同事说我像背着一片小垂柳走在闷热的大街上……

还有一条满是舞蹈图案的橘色爱马仕，是因为跳了一个晚上的集体舞，爱上了那条丝巾。Hermes 从 1987 年开始每年举办有关当年设计主题的年题活动，每一年丝巾的设计也将围绕这个主题，比如“舞蹈”、“印度”、“逃逸”，都曾经是年度设计主题。

2007 年我在巴黎参加了“舞蹈”年题的发布。那个晚上，如常，漂亮的晚会场地，精致的晚宴，上甜品时，主持人忽然说，在每个人的桌子底下，藏着今晚的“惊喜”。于是大家放下刀叉，纷纷埋下头去找——原来特别设计的餐桌下面有小小的暗格，里面是被叠压得很扁的一条白纱裙，就是小时候新年聚会，女同学们经常去扯几米白纱，自己就可以裹在身上的那种。台上主持人接着说，今晚，无论男女老幼，请立刻将这条白纱裙穿上身，大家跟着舞蹈老师的动作学起来，跳起来！——音乐声起，两人一组。老师教的舞蹈并不复杂，很像大学期间的集体舞，姿势是据古希腊的手语改的……你必须在现场给自己找个舞伴，无论男女，无论高矮胖瘦，无论国籍人种，拉着他（她）一起来用舞蹈动作表示“见到你真好”“我爱你”……

跳到午夜，几百名来自全球的编辑在音乐声中忽然变成了一家人，每个人都裹着一条简单的白纱裙，手拉着手，每换一段舞曲就换一个舞伴……我相信现场很多人内心都有种久违的感动，原来人和人之间的关系，即使是陌生人和陌生人之间的关系，都可以如这样的舞伴关系——很单纯很美好。

后来，我经常戴起那条满是舞蹈图案的橘色丝巾，丝巾上图案堪称色彩缤纷且生动有趣，其实戴起来的时候，别人并不了解那些美丽的图案里的故事，只有自己心里的某一个角落，会忆起那个晚上小小的感动……

有多少条丝巾才算够？！

丝巾是女人身上一个柔软的符号，再硬的女人，不管是长得硬的还是心肠硬的，再或者只是打扮硬的，有了丝巾的点缀，瞬间就有了女人本来的味道。

很多朋友问，到底什么颜色的丝巾最适合自己？其实不难，在脖子上绕一圈，站到镜子前看一看，让你脸上发亮的丝巾就是合适你的颜色；另外，想一想你最常穿的衣服的颜色，保守的，按照同一个色系买丝巾；胆大点的，反着买，同样有好效果。我主张大家尽量买你不敢穿或者不适合大面积穿的颜色。比如基本上不穿花衣服的女孩子，可以买很多花色丰富的丝巾。

系丝巾真是大学问，最好的老师是 Hermes，每年他们都出那种精致的小画册，里面详细地介绍戴丝巾的各种小窍门；你尽可以到丝巾店里去向售货小姐讨教，每个人都是系丝巾的高手。

方丝巾外，也迷恋披肩，一种除了高跟鞋外，最可以让女人风情万种的武器。泰国有个民族品牌叫 Jim Thompson，专用泰丝做披肩、丝巾和各种小件物品。质量好又不贵，花色极具东南亚风情，每次去泰国都买好几条，那种大的方正的是可以在海边围在比基尼外面当裙子穿的。

香港的写字楼，空调一年四季都冻死人，所以香港办公楼里的小姐，几乎人人包里都有条披肩。我们的办公室虽然没有那么冷的空调，但是也喜欢放条披肩在办公室，夏天可以让颈椎不受空调的侵袭；冬天换条羊毛的，随时可以给自己加个温度。

曾经一度迷上丝绸带和蝴蝶结。记得吗，小时候，妈妈常给我们扎在马尾辫上的那根长丝带。很多年不戴了，现在翻出来也只能给女儿们当头绳用了。如果真的想给自己偶尔找些女孩儿风情，可以做腰带扎在腰间。曾在纽约 Banana Republic 发现丝绸的扎成蝴蝶形状的腰带，喜欢得不得了，任何时候上身，都有一种少女时代的气质。

有个女朋友，从妈妈家里翻出了 20 年前的那种宽条粉色丝绸带。在一次 party 中，穿了一袭小黑裙，然后脖子上系了这条自家 vintage 的粉绸带，像一条复古的颈间配饰，很亮眼。这种丝绸带是完全可以 DIY 的，绸布店里找点边角料，手巧的女人十分钟就可以变出一件独一无二的配饰。

Meeting dress

我有一个女朋友，在美国一个大公司的北京办事处工作，要去美国洛杉矶总部开会，因为是第一次去总部，女朋友紧张坏了，走前一个星期都在想，我要穿什么呀，要穿什么去美国开会啊！

所有的 dress code 里面，好像还真没有 meeting dress 这一说，一般大家都想，开会嘛，就是穿套装喽，总不会出错。偏偏我这个女友平时就爱穿牛仔裤，一件西装都没有，于是周末满北京地逛西装，一逛才发现，买一套合身的体面的西装比买一件漂亮裙子难多了，也贵多了！女友老公就职于一家日本大公司，是标准的办公室金领，他的建议更直接，他说反正不能穿裙子，至少一定要穿裤装！

是这样吗？

如果是我，我一定选择让自己最自信的衣服，对我来说，肯定是裙子。

原因很简单，我穿裙子最好看，腿不够长也不够直，穿裤子把缺点全暴露给老板们了！只有一种裤子我喜欢，就是 MaxMara 裤子中的常青款——高腰宽腿裙裤，穿起来永远英姿飒爽，还不失女人的妩媚，有一点杰奎琳·肯尼迪的风范。

所以，即使是“开会”，也要穿最合适你的衣服，裙装或者裤装都可，应该扬长避短地穿着让自己更自信的衣服。

在职场里，开会确实是件严肃的事，花花朵朵的衣服就算了，不能让老板觉得来了一个邻家女孩。但是，素色的学问更多，素色甚至更容易穿出女人的柔美，更容易衬托皮肤的白皙，也更容易让女人性感——这要看每个人的尺度了，如果你不是想刻意勾引你的某一个老板，还是收敛一点为好，衬衫领口不要太低。

最后，一件极具个人色彩的配饰会帮助自己恰如其分地添一点亮色，比如一条 Hermes 的丝巾，稍微特别的系法会让同事眼前一亮；或者一个很大尺寸的蜻蜓胸针……

记忆里印象深刻的 meeting dress，是一次在纽约参加化妆品牌 MAC 的新季发布会，当年 MAC 亚太区的市场总监，一个大约 35 岁的女人，她穿了一件白衬衫（很挺括，没有任何繁复的设计，熨得很平），下身一条同样合体挺括的西服裙——精彩在她转身的时候。大家突然发现，西服裙背后，有一个极漂亮的黑色丝缎大蝴蝶结，在场所有人不出声地惊讶了一秒钟，会后我忍不住赞美她："You look gorgeous! Is it from Lanvin？"她会心一笑："Yes！"

夏天的 9 个小细节

从臭美的角度讲，一年四季里，最偏爱夏季。小裙子一上身，一个女人的风情尽现。有些需要讲究的小小细节，只有讲究了才是个淑女的夏天。

秘密一：痕迹

布料透明的衬衫，里面选择白色胸衣甚至比肉色的还保险，白色即使透出来，也不会让人有不好的联想。

秘密二：无痕

不管什么颜色的内裤，露出痕迹来都很不雅，去试试市场上现在推出的很多无痕内裤，很舒服；如果不怕不舒服，当然还可以选择 T 字裤。

秘密三：脚上风景

天气热，很多人喜欢穿凉拖，请花一点时间修好脚趾甲，涂什么颜色可以按照个人所好，关键是让你的脚显得干净而精致。

秘密四：脚底

不少人因为太多时间穿凉拖，脚底会迅速变得粗糙，定期给你的双脚做护理，睡前别忘给你的双脚涂足部滋润霜。

秘密五：袜子的边边

要么光脚，要么穿连裤或者到大腿的丝袜，千万不要将你的丝袜边露在脚腕上，那和露出了内裤边没什么区别（棉袜配运动鞋除外）。

秘密六：味道

这么热的天，都爱出汗，美人也一样。所以，香水和喷腋下的止汗露一定要用。白天不要喷太浓的香水，把同事熏晕是不太礼貌的事。要让你皮肤的味道和香水的味道恰如其分地融合在一起，你走过，有淡淡留香——这是最高境界。

秘密七：那些不想要的汗毛

市场上的女用剔毛刀很安全也很好用，但是会让你的汗毛越来越粗和硬；如果有条件，三到四星期去美容院做一次脱蜡，一点点痛，二三百元，效果很好。

秘密八：穿新鞋戴新贴

光脚穿鞋，难免把脚磨得四处起泡。可以用创可贴，但是一定选择透明的。在各地屈臣氏里都有花样繁多的可以贴在新鞋里的小脚贴以及用来迅速治疗水泡的小贴，不妨一试。

秘密九：真空

可以真空吗？——可以，有几个条件：你的胸是 A 杯或 B 杯，形状很好不下垂；外衣保证不透明；不是在会议桌上或谈判桌上以及其他不妥的场合。最安全的是外衣有一层专门的好像内衣的内衬，既安全又舒服。另外还可以选择市场上的迷你胶质胸贴，记得每天戴完要用水冲一下，再自然风干。

冬天扮靓三招

冬天是一个可以如童话般美丽可是要费点儿心思才可以穿得妩媚的季节。

试一条彩色的围巾

大部分女人在买大衣的时候，都会选择深颜色，最多的是黑色和灰色以及深棕色，只是因为实惠和好穿。我试着买过淡粉色甚至白色的大衣，穿着是很打眼，多少还是和这个季节不是那么协调，而且，实在太容易脏了，有了一点污迹就不想再穿了。所以，围巾的颜色变得很重要，基本上在冬天，一条颜色亮丽的围巾都是每个裹在厚重衣服里的女人身上的点睛之笔。对于我们黄皮肤的女人来说，冬天特别推荐大红色和橘红色的围巾。

除了选一条颜色很跳的，让你的脸色可以温暖得呼之欲出的围巾以外，还可以尝试将一个色系的两条不同颜色围巾缠绕在一起戴，比如草绿和墨绿、米黄和棕色，日本曾经非常流行这种混搭围法，效果很特别。

试一双合适的靴子

穿靴子有很多小窍门。如果你的身材比例很好，无论你胖瘦，只要腿足够长，你可以选择一直很流行的平底骑马靴，还可以尝试 Leggings

(瘦腿裤)，都会显得很帅气；如果你即使很瘦，可是腰长腿不够长，就一定要选择高跟的皮靴，可以有效地拉长小腿，看起来更有女人味。

保守地说，长靴配喇叭呢裙是最舒服和最淑女的穿法；如果你的腿型够好，可以将九分瘦腿裤塞进长靴里，看起来像是马场里的巾帼英雄！

试一试人造皮草

现在大家都开始有环保概念，很多品牌都推出了人造的皮毛产品，价格不是很贵，很多都镶了水晶，染了颜色，有各种花哨的设计。如果你像我一样，不喜欢将自己穿成看着像一只小动物，可以尝试一个小毛领子、小毛围脖、小毛耳套、小毛披肩。皮毛的质感会很容易让冬天里的女人，有一点性感，有一点华贵。

如同每个季节有每个季节的美丽，每个季节里的女人也可以呈现不一样的魅力。冬天是一个厚重而浪漫的季节，女人也一样，可以让自己呈现“厚重而浪漫”的气质。

高跟鞋的高度

柏杨先生有一篇文章叫《俏伶伶抖着》，听名字就知道是老先生在赞美同时揶揄穿高跟鞋的女人，原文说："一个女人，如果有一双使玉腿俏伶伶抖着的高跟鞋，又有一头乌黑光亮、日新月异的头发，虽不叫男人发疯，不可得也。"——男人看了估计很解气，我看了也笑得前仰后合。

现在，拿出你写字台上的尺子，一起把我们的高跟鞋量一量：

2—4cm 跟，我个人不主张的一个高度，虽然是最舒服的高度。有一次在香港和 Celine 的前任设计师 Ivana（那一年她 32 岁，即被选中执掌这个法国经典品牌）聊天，Ivana 说得精辟：要么干脆穿平跟鞋，比如赫本鞋（准确地讲，叫 Audrey 鞋，当年赫本很喜欢的像芭蕾舞鞋一样的平跟鞋，后来 Ferragamo 就把此款鞋以赫本名字命名，到现在每季还在更新不同材质的 Audrey 鞋），也很女人！就烦那 2—3cm 的高跟鞋，高不高，低不低，脚该受的罪也受了，女人味道也没穿出来！

5cm 跟，已经足够把你的小腿拉长，也是很容易适应的一个高度！如果你刚开始尝试穿高跟鞋，5cm 是一个很容易让你接受的高度，而如果你的工作不是要每小时走来走去的话，5cm 是很容易穿进办公室的。

7cm 跟，party 上穿可以完美地搭配小礼服，将身高有效地视觉拉长，第一次穿在屋里先走两圈，相信我，7cm 还是一个我们的身体可以承受的高度，一点儿不难；如果是在办公室里穿，建议选择圆头款，若是尖头款，撑着上班一天，很需要些脚力。

10cm 跟，是现在各大品牌很流行的一个高度，如果到上海西康路或北京三里屯今年新开的 Christian Louboutin 专卖店看看，满眼都是 10cm 跟的漂亮死了的高跟鞋。必须诚实地说，10cm 和舒服两个字没有关系，和性感倒是有很大瓜葛。那种颜色亮翠、带着水晶、绑着蝴蝶而鞋跟又细如锥的 10cm 高跟鞋，都是让女人在鞋店里流连忘返的款式。穿一条再普通不过的黑裙子，配上这样一双高跟鞋，镜子前一站，觉得自己就是女王了！

11—12cm 跟，这是 Sergio Rossi、Manolo、Roger Vivier 以及 Jimmy Choo 等高跟鞋品牌经常尝试的一个高度，我在 Manolo 的店里试过一双，美死，只是 30 分钟不到，腰就要断，只能迈着小碎步走短短的路，实在是生命中不可承受之“高”——只有那种不需要走来走去的派对，才可以勉强应付。

12—14cm 跟，这是红底鞋 Christian Louboutin 很爱的高度，不少女明星都是踩着红底鞋被有力地拔了高走向红地毯的，我也尝试过，美是美的，只是相当惊险。私下里叹气：做明星也是不易的。

中国古话说，脚下没鞋穷半截，话糙理不糙。Marc Jacobs 就说，全身最值得花钱的地方是脚，尤其是我们的钱有限的时候，更应该把有限的钱最大程度地投资在鞋上；而老帅哥设计师 Tom Ford 说：不穿高跟鞋的女人何言性感呢!

都知道《欲望都市》中的 Carrie 是鞋的狂热购买者，贷款买房的时候拿不出钱来却可以拿出 100 双 Manolo（最便宜的 Manolo 也要 300 美金一双吧）！她那个程度稍稍有点过，但是出发点我是赞成的，同时我也无比佩服她至少在电视剧里都是穿着 10cm 的细高跟和女友约会血拼；在现实生活中，她临产前一天还去给 Manolo 的新闻发布会捧场，穿着一双 10cm 的华美的鞋；刚生了宝宝三天，从医院出来的时候，脚下也是一双 7cm 的 Manolo！虽然可能是因为人家的个儿本来不够高，要顾及媒体形象，但也很有点为了高跟鞋大无畏的精神了!

高跟鞋，跟不在高，有型则灵。虽然平底鞋有平底鞋的风范，但是生为女人，不要轻易放弃尝试高跟鞋，踩着高跟看世界，世界在我们眼里的高度和角度是不一样滴!

吊带裙

很多年里，吊带背心和吊带连衣裙是我夏天最喜欢穿的衣服。简单，不贵，又有风情。

通常时装杂志社都是一个没办法要求大家统一着装的单位。盛夏，有人穿着吊带却配着皮靴；寒冬，有人穿着皮袄却踩着凉拖。编辑部的姑娘们似乎不怕冷也不怕热，都是四季混搭高手。有个真实的很搞笑的段子可以为证。某个盛夏，财务部招聘出纳，来应聘的出纳小姐很紧张地问财务总监：我们公司要不要穿套装上班啊？

财务总监撇了撇嘴，眼光看着楼下的编辑部说：

套装？你看看楼下，能穿衣服来就不错了！

我当时在隔壁，听了很不服气，马上站到楼梯上往下看，下面正对着的，就是编辑部团队。

结果，看到的是齐刷刷的光溜溜的一大片各种风情的后背！编辑部的女孩们，都穿着吊带在大干快上地赶稿子！

穿好吊带秘诀如下：

1. 脖子最好长一点，胳膊最好瘦一点，肩胛骨最好漂亮一点。

2. 香港写字楼女孩的大包里永远塞着一条薄羊绒披肩，尤其是在空调生猛的夏天。这招值得效仿，空调风冷的时候随手一披，保护了颈椎还平添了女人味。

3. 要穿棉质的吊带就穿加了莱卡的那种棉，不会太软，看着像睡衣就不是太雅了。我曾经买过一件牛仔布的吊带，虽然有点厚，但是穿着很有型。吊带是随意感很强的衣服，所以要想穿得有模样就要讲究质地。

4. 吊带连衣裙的款式多得让人眼晕，一定要不怕麻烦地去试，这是一款可以暴露身材缺点或巧妙遮挡身材缺点的衣服。想想看，孕妇装不都是连衣裙款嘛！就是因为可以遮挡日渐隆起的大肚子而看着还挺有女人味儿。在长短肥瘦方面，每个人都有不一样的要求。我热衷于找街头熟悉的小裁缝小改一下刚买的吊带裙，收放一点点，合身到严丝合缝，裙子就像自己身上的第二层肌肤。

5. 很多讲究的吊带，内衬都做了胸垫，所以不用再穿内衣；需要穿内衣的，可以在内衣的吊带上想想花样，很多小店都有卖各种各样的花色内衣吊带。穿好了，是肩上亮丽的风景。

那首宋词怎么说来着？——完全和吊带无关，但是意境相仿：

> 语已多，情未了。回首犹重道：
>
> 记得绿罗裙，处处怜芳草。

生娃之后，昔日小蛮腰已成往事。年轻真是好，可以肆意地低腰着。

| 2005 年　日本东京 |

像模特一样，给自己拍张时装大片。这个姿势是杂志里模特们常用的姿势，东施效颦，给自己找个乐子。

| 2005 年　法国戛纳 |

打 折

没有女人不热爱这两个字，我一有机会出国就满眼找四个字母“SALE”，看见了就大踏步地冲进去……每逢 7 月和 1 月，全世界的商场都在打折，清上一季的存货，给下一季的新货腾地方。

我有个女朋友对打折有精彩的描述。她说大部分女人可以抗拒一件 10000 元的礼服或者首饰，因为就是再好看也太贵了，但是不能抗拒一件 10000 元的礼服或者首饰打折到了 2000 元，怎么也要买下来——因为已经“便宜”了 8000 元！——于是我这位女友的先生总结说，她不是花了 2000 元，而是“挣”了 8000 元，所以买了打折货的女人们总是发自肺腑地兴高采烈。

我大学毕业就职的第一家公司，很幸运地遇到一位前辈，每天不厌其烦地教导全公司的女孩子穿衣之道，就是我文中经常提到的“胡爷”，这位老人家说，你将一套 5000 元的衣服穿得很好看，那不是你的本事，是衣服的本事；你将一套 500 元的衣服穿得有品有位，看起来像 5000 元的甚至更贵的衣服，那是你的本事。所以，一个聪明的爱漂亮的女孩不仅要学会自己努力挣钱去买那件 5000 元的衣服，更重要的是要学会培养自己的气质和修养，不论什么样的衣服穿在你身上，无论是便宜的抑或是昂贵的，你可以永远地自信——5000元的衣服也许有一天会打折到500元，而你的气质，你的风度，只会随着年龄和阅历的增长而累积，永远都不会打折。

这番话数十年来深深地影响着我，让我受益匪浅，**其实昂贵的衣饰在一个不高贵的人身上会失去它高贵的色彩；而一件即使是相对便宜的衣饰在一个优雅的人身上同样优雅。**金钱数字的多少并不是衡量一切的标尺，表面的东西总是比内在的“打折”系数高得多。

如此说来，我们该想想看我们的生命中还有哪些不打折的东西，比如我们对子女的爱，比如陌生人对我们的帮助，比如你心中的一个小小的愿望……

所有这些，真的是我们要更宝贝在心里的，更珍惜在人生路上的。

抢鞋之要诀

每年的一月和七月，大小品牌都到了每季打折的最后关头。这时候去购物，真的有“血拼”的意思，尤其一大堆女孩一起，不像在用自己的血汗钱去买东西，而完全像是在抢！

有个周末，我率领四个女友去连卡佛扫荡最后打折的鞋，大部分鞋都是 4-6 折，然后买够 7 件可以再打 8 折。当时状况很可观，堆在我们几个面前大家分头试过的鞋就已经能再开一个鞋柜了！

打折买东西更需要冷静，现在集中 5 个女人之打折买鞋的大智慧小聪明，给喜欢鞋子又喜欢打折的你一点建议。

一、圆头鞋和尖头鞋

谢天谢地，在像小锥子一样的尖头鞋逞强了好几季之后，从上季开始圆头鞋终于复出流行了！圆头鞋实在是舒服太多，哪怕是高跟的！所以，有你中意的圆头鞋，尽管下手。特别推荐那种平底圆头赫本鞋，如果腿的比例好看，穿上真是又优雅又舒服。而不管流行如何变换，这十年看下来，圆头鞋比尖头鞋更容易百搭。

二、粗跟和细跟

粗跟和细跟一直轮换主导着潮流。从实穿角度讲，看着有一点笨笨不过7厘米穿着上班都不累的粗跟鞋是上班的好选择。晚装鞋嘛，永远强烈推荐细跟的，性感都在鞋跟上！

三、长靴和短靴

买鞋并不一定要跟着流行走，而是要跟着自己的腿型走。有一年冬天，很流行圆头、矮帮、粗跟的靴子，我就不喜欢，穿起来一点不女人。于是就专门去鞋柜抢长靴，买黑色和棕色，又好搭配，再怎么不应景，其实都是用得到的，无论你喜欢牛仔裤还是穿小呢裙子，都是用得上的。

四、金色和银色

连续好几季都金银当道。这种闪亮的颜色，其实是最好配的颜色，就算没机会去party，穿牛仔裤也可以啊，穿睡衣踩着小银钻鞋诱惑老公也值了！逢这种金银版高跟鞋，无论如何是应该淘一双存在鞋柜里的。

五、再便宜都不要买的LIST

A．颜色特别鲜艳的靴子。看着特美，看10分钟都想不起来自己哪套衣服可以配它，赶紧放下！

B．号不合适的鞋。36小，37大，36.5偏偏又没了，可别图这便宜，买回去的结果就是在你的鞋柜里睡大觉。

C．装饰太多的鞋。有一圈毛毛在鞋帮，还是白色的可爱的毛；有一对蝴蝶在脚面，还有个小翅膀，这种看着Fancy的鞋更合适在鞋柜里摆着站岗，穿在脚上太不实用了，出门跑一天毛毛就变黑，蝴蝶翅膀就断了！

打折时抢购，是喜欢购物的女人的乐趣，平时舍得看、不舍得买的东西，这个时候都有可能进了自家的衣橱。

打折抢购要诀

总结了多年自己和女朋友们在世界各地“抢购”经验，和大家分享如下：

1. 最想要的

先去找那件你早就在店里摸过、试过、惦记了好久的衣服，五折，别犹豫了，赶紧抱回家。

2. 最经典的

例如像黑色的羊绒披肩，质量一流的进办公室可以穿的船鞋，裁剪合体的小外套、小黑裙，永远都不过时，随时都可用上。

3. 永远要抢购的

鞋，鞋，鞋！！前几年连卡佛还没有在北京开店时，我若在打折季出差到香港，行李往酒店一扔，一分钟都不耽误，就奔连卡佛。1000元甚至不到1000元，都能买到款式独特的、正宗意大利或者西班牙制作的漂亮鞋!

4. 千万别买的

A. 这件裙子，特别特别美，折后也不贵，只是要我再瘦三五斤才穿得进去。

——放回去吧，亲爱的，它很可能就永远挂在衣柜里了！

B. 那一条超短裙，可爱死，但是好像和我的年龄不是那么相配？

——也放回去，我们只会越来越成熟。

C. 这双鞋，脚能进去，再大半号的已售空，先买了这双再说？

——啊，我们的脚会哭的，你会因为那半号的差距将这双鞋永远地打入冷宫。

D. 太应季的设计。这个图案，这个款式，在几个月里反复地被所有时装杂志吹嘘，被各路明星穿来穿去，以至于你再穿上时，经常会被人说："这不是谁谁谁穿过的那条裙子吗？"

——有点烦，别说个性，连新鲜感都给不了别人。

女友静给我发了一条短信，笑掉我的大牙：

女人 = 吃饭 + 睡觉 + 花钱；猪 = 吃饭 + 睡觉

移项得：女人 = 猪 + 花钱

结论：不会花钱的女人，都是猪。

遏制乱买衣服的“恶招”

2006年夏天，我到了*ELLE*工作，筹划的第一本刊，就是环保刊。那个时候，环保还不像今天这样被重视，*ELLE*是国内第一本将“环境保护”作为全书主题的时装杂志，老实地说，我不是彻底的环保分子。让我不用塑料袋出门、把灯关了、少制造垃圾我肯定都做得到，让我为了环保一年不买衣服和包还有鞋，我肯定做不到。

周末和一群朋友在后海吃饭，女朋友还在痛心疾首地反省，白天在收拾衣柜，发现衣柜里有很多只穿过一次或者一次都没穿过的衣服，那些衣服都是吊带之类，捐给灾区都用不上，送人又过时了，到底有什么方法可以让自己在买衣服的时候三思而行，避免浪费，稍微“环保”一点？

我非常认真地想了一路，找出几条“恶治”的法子，要是你也是容易在商场和小店里“贪得无厌”的女孩，或者试试？

1. 要是自己特喜欢又特不便宜看了好几回都没下手的衣服，其实是应该买的，比如一件质地和裁剪上好的大衣，不容易过时，又好穿。买一件占了十件的预算，那个月肯定就不再上街了！

2. 定时清理衣柜。清理衣柜是容易让女人有内疚感的。我一个女朋友喜欢买黑色长裤，见着就买。有一天她的阿姨跟她说，我把你的黑色长裤都集中在一个格子里啦，你找起来方便。她过去到那个格子一看，一共 28 条，当下决定两年内不再买黑色长裤。

3. 新衣服买回家，最烦的一件事就是发现上半身挺美，可是衣柜里完全找不到与之相配的下半身。所以买衣服时，除了打量那件衣服本身，实在要再多花三分钟想一下家里衣柜里是不是有衣服能和它相配。这三分钟能打消一半让自己迅速掏钱包的念头。当然也有不妙的时候——自己又掏钱把下半身一起买了！

最近两年，我身边不少的女朋友在淘宝开了二手店，将自己和周围女朋友们的旧衣服便宜让给喜欢的人，真心觉得这是好事情。那些再美再贵再舍不得的衣服，挂在衣柜被冷落两年以上时，就成了废品。不如早早有个新去处，只要有人有机会再次穿上身，也算我们好歹“环保”了。

向上海女孩学穿衣

我对上海女孩的穿衣心得，80% 来自于 *ELLE* 上海编辑部。因为我在上海除了睡觉以外的 80% 时间，都在和她们分享。

我们编辑部的女孩子有一半是地道上海女孩，另一半是像我这样的“外来妹”。这年头，长得漂亮不能算是“美女”，美女的概念是要“打眼”，要有风格。上海女孩在穿着打扮上很有一套，个个都是风格制造者。

赶时髦，赶得正点到位。Leggings 刚开始流行的时候，女孩子们人手一条，搭配的花样比杂志上还多；那年冬天流行一件高领毛衫 + 抹胸连衣裙的穿法，我还在琢磨到底怎么穿才合体呢，我们编辑部的女孩儿们已经穿得齐刷刷地来上班了！

穿高跟鞋，踩得又狠又准。一天我们专题组的一个姑娘穿着 10cm 的一双鞋“扭”进办公室，那天她的口头禅是：“冒着摔死的危险来上班！”时装组更不用说了，鞋跟高得我经常以为她们要去赶 party 。当然，她们还喜欢在柜子里藏一双平跟鞋，真干活的时候马上换上！自从搬到上海，经过办公室女孩子们的影响后，我的鞋柜已经做了重新组合，以前只有在 party 上才穿的高跟鞋，现在上班偶尔也会“扭”着去了！

胆子大，大得有一般办公室绝看不到的风景。时装组的姑娘曾经大冬天的上面穿着高领毛衣，下身穿着呢子超短短裤来上班，两条裸着的美腿晃得全办公室眼直晕；男孩子经常穿粉色系和紫色系的衬衫，很有英国绅士范儿，我头一次看见男孩子穿鲜艳的颜色又不让人烦。季节在编辑部里是很混乱的，大家都会把一年四季的衣服彻底混搭，冬天有人穿低胸吊带，夏天有人穿长靴。

换造型，换得人眼花缭乱。今天是学生妹，明天是小女人，后天是 party 女王，你完全没办法预料，明天她们是什么样子！事实上，办公室大部分的女孩子都会在自己身上变魔术，这让我这个数十年一个风格的还自诩会打扮的人很汗颜，原来女孩子可以如此千变万化！

集体凹造型。*ELLE* 美容组把每个周五作为她们的 dress day，几个姑娘会约好穿同一个风格的衣服。比如条纹，吊带，碎花，百褶等等，然后再集体拍张小照留念。每到周五，美容组就是一片风景。

我经常上赶着问编辑们：今天真漂亮啊，有约会啊，有 party 啊？姑娘们一般都很漫不经心地回答我：

“没有呀，没什么特别的呀！”

新衣服，旧衣服

小时候对新衣服的概念，是新年要到的时候，妈妈的礼物。所以一年到头地盼望着过大年、穿新衣。对于七十年代后半叶出生的女孩，新衣服已经开始变得不够新鲜，不用到过年时才有新衣服；而对于八十年代出生的女孩来说，新衣服已经像糖果一样平常——所以有的时候觉得我们这一代还很幸运，没受过大罪，可是小时候经历过一段不富裕的日子，因此容易懂得珍惜也容易快乐。每每看到现在的独生子撇着嘴对妈妈说：又是巧克力啊？腻死了！——我都要晕倒，巧克力，那是我小时候最隆重的奢侈品，一般能偷偷嚼两块麦乳精就不错了！

现在的旧衣服也不同以往的概念了，从前要是穿着旧衣服过年基本上就要哭过一个新年，现在最新的流行趋势可能都是某一个时代的回归，穿旧衣服那叫“vintage”，比新衣服还时髦。在巴黎卢浮宫后面有一家有名的二手时装店，里面有六十和七十年代的 Dior、Chanel 等等，我每次去巴黎都要去“瞻仰”一下，价格吓人，比新衣服贵多了！

我有一次发现爸爸的衣柜里有一件藏蓝色的短呢大衣，如获至宝，蓝色一直都是秋冬的流行色之一，男款女穿的中性风格又是这几年的时髦。老爸说，这是五十年代初在王府井百货大楼买的，38 元，是刚参加工作不久的他攒了半年零花钱才买下来的，因为觉得太金贵，所以没穿过几回，后来长胖了，也穿不下了，就在衣橱里挂了几十年。算起来这件衣服比我还“年长”几岁，它一定想不到，在被主人冷落了三十年后，居然成了一个做时尚杂志的女孩眼中的时髦衣服！

无独有偶，我的一个时髦女友也在炫耀自己在北京潘家园旧货市场淘来的不晓得是几十年前的一条绣花长裙，说配上吊带背心在Party上穿很是魅惑，是两个不同时代的妩媚结合起来的魅惑——聪明女孩，穿起来的确有那种怀旧的暗香的迷离味道！

从一个时装编辑的角度来说，旧衣服是要有选择地保留，现在的流行趋势，复古几乎成了永恒的主题，不定哪天翻出来就是新时髦；从一个勤俭持家的女人来说，新三年，旧三年，缝缝补补又三年（妈呀，要是每件衣服都能穿九年，那服装厂商还不哭死！从一个很现实的角度来说，天啊，到底我们的衣柜要有多大，才可以放下这些新新旧旧的衣服？）！

披出你的风情来

一位男性朋友说，就烦派对上本来穿着露肩露背的美丽女子，活生生给自己披个披肩，结果女子倒是暖和了，他什么也看不见了……！我委婉地跟他解释说，美丽女子也不是飞到派对现场的，坐在出租车里的时候不想先晃了司机师傅的眼睛！在很多时候，披肩对女人来说，不光是保暖，还有心理保护的作用，并且那种半搭半就的感觉，是一种别样风情。

和大家分享一下关于披肩的一二三。

一、你一定要有的一条披肩

如果你 25 岁以上，在写字楼里上班。那么，一条黑色的、没有任何图案的羊绒或者丝羊绒，总之质地纯正的披肩是最基本的选择。无论你穿套装或者牛仔，披上它都不会错。这条披肩可能价格不菲，但是相信我，你至少可以用 10 年。

二、你可以尝试的新鲜颜色

很多朋友，在穿衣服上相对保守，不太有勇气尝试自己没穿过的颜色。但是你完全可以在披肩上尝试，效果往往出人意料。我有两条自己很喜欢的打眼的橘红色披肩，一条是在佛罗伦萨的小摊上花 10 欧元买的；

另外一条是在北京东四一家小店淘的，有很炫的印度风情的刺绣图案，披在白衬衫外面有意想不到的惊艳效果，可以直接去派对了！

三、关于披肩的披法

在时装杂志上，很难用平面的图来表达清楚关于披肩的披法，尽管这是时装编辑们每年都会想到的选题。其实这就是一个照镜子的活儿——你站在镜子前，很容易就可以发现以下几件事情的答案：

A. 你的披肩颜色是不是让你的脸色发亮？让你脸色发亮的颜色就是你的最佳选择。

B. 你的披肩和你今天穿的衣服是不是相配，是不是有画龙点睛的作用？

C. 披肩除了披着，不外乎就是前面或者后面打个结，不要懒，你自己多拧几下，很快就可以找到一个自己舒服又漂亮的系法。

D. 夏天，披肩是可以拧成一件吊带穿的，那些图案啊，颜色啊，在身上拧成一件衣服时，时隐时现，是任何吊带都没有的风情。

女人，总是要学会在衣服堆里给自己找乐子，披肩是我自己很享受的一个乐子。可以让你的旧衣服穿出新衣服的感觉，还可以让你本来稍有点老套规矩的套装，瞬间生出妩媚的女人味道。

穿好大衣的小秘密

我是特别喜欢穿长大衣的人（最恨羽绒服，什么样的好身材都给穿没了！）。有一天和几个女朋友吃饭，一个女朋友说她的老公一到冬天就抱怨，说她的长大衣多得衣柜里塞都塞不进去（因为过膝盖的长大衣实在很占衣柜的空间），然后就随意地挂在衣架上、扔在沙发上，结果成了她们家小猫的乐园……听了就想乐，因为我的长大衣早就多得衣柜见了就要哭……

大部分女人的第一件大衣，是黑色或者棕色，我也一样，很实用的理由，寒冬里不那么乍眼，又禁脏（大衣又不能像仔裤，随时可以扔在洗衣机里去绞），到第五六件的时候就开始研究各种花俏颜色了，米色、粉色、天蓝色……还买过一件豹纹的——不过是衣柜里的“常驻将军”，很久未出衣柜那个门了！

大概 25 岁以上的女人，都至少会有一件大衣，心得和大家分享如下：

1. 大衣的腰带

我是特别喜欢大衣上有个腰带可以把腰身勾勒出来，宽松的大衣我总是穿不好；如果你不是那么瘦，就不要选择有腰带的，选择有收身设计的，可以达到一样的效果。

2. 大衣的质地

羊绒大衣很轻很软穿着很舒服，可是那种垂的感觉有的时候并不如羊毛的；羊毛大衣会重一点，正是那种厚重的感觉穿上才觉得“有分量”！

3. 大衣的配饰

因为大部分朋友的大部分大衣是深色，所以值得花心思去找那些颜色俏丽可以提亮的小东西：比如围巾和大大的胸针。这些小东西要比大衣便宜，但是找到出彩儿的是非常花时间的。

4. 大衣的裙边

有的时候，大衣没有到脚踝那么长，里面如果穿的是裙子，很可能裙子边就会露出来，要小心裙子和大衣的颜色搭配，配好了里外都漂亮。

情迷 vintage

Vintage 这个词本来是用来形容一种陈年葡萄酒的，这几年成为了时尚圈的热门词——所以，逛二手店也成了热门购物方式。LV 每年都更新出版的城市旅游手册，是去一个陌生城市前的非常好的城市指南。我头一次用到 LV 旅游手册是数年前去纽约，兴致勃勃地带着 LV 的小手册就上了飞机，在漫长的旅途中找啊找，就是没找到二手一项，结果邻座的同行说：土了吧，二手店不叫 second hand，那叫 vintage!

在纽约，我经历了最难忘的一次 vintage 购物经历。按照 LV 小书上的介绍，我在 SOHO 区七转八转地，终于找到了那家铺面不大的二手店。里面东西很多，摆放相当杂乱，要非常有耐心地在里面淘。我挑了一条 15 美元的老款 DKNY 的牛仔裤，几乎是全新的，一套 60 年代的旧首饰，有耳环、项链和胸针，虽然镀金的部分已经被磨得掉了色，但是款式非常的有味道；还给喜欢戒指的女朋友挑了一个 50 年代的很夸张的瓷面戒指——总共不到 100 美元，像捡了宝一样高兴！

在挂着的一堆衣服中，我被一件粉色的伴娘婚纱吸引，走近一看，天啊，Vera Wang 的！好像是十几年前的设计，很简单，有一种安静的古典美，标价是 200 美金！我都怀疑自己是不是看错了价签，Vera Wang

啊！多少好莱坞明星，贵族小姐都是穿着 Vera 的婚纱戴上的戒指啊！

我毫不犹豫地跟店员说，我要试试！店员是个小伙子，反应有点奇怪，他一直上下打量我，最后说“OK”。我几乎要抱着拖地的婚纱到了试衣间。完全没有穿婚纱经验的我有点手足无措，很快进来一位 40 多岁的女士，在她的帮助下，我一点一点将自己放进这个美丽的故事里，婚纱之前的主人不知道有多瘦，我倒吸了好几口气，她才拉上后面长长的拉锁。

在她帮我系上后面的拉锁那一刻，我听见她抑制不住地欢呼了一声，然后冲出试衣间，只听见她说：

My God! 终于有人可以穿进那件婚纱啦！

结果等我一出去，店前店后的所有人都排成了一排，等着看穿进了这件婚纱的中国女孩……

原来，这件婚纱因为太瘦，已经在店里整整挂了七年，很多女孩子试过，都是因为系不上拉锁遗憾而去，结果价格就一降再降，还是一直没卖出去……

我穿了 10 分钟，自己也有点喘不上气了，实在是太瘦了！同去的女友说，算了吧，你说你扛回北京什么时候穿？——当自己的婚纱穿，颜色不对；给别人当伴娘时穿，非抢了新娘的风头！而且，你要再去买一个大旅行箱，去放这一堆不知道什么时候能用上的纱！还有，你一两肉都不能长啊，穿它之前先饿三天才系得上拉锁……

我是那么恋恋不舍地离开了这家二手店，店老板一直送我出门，对我说，改主意就回来啊，再给你打个八五折！

回到北京，飞机一落地，肠子就悔青了，我就是把它扛回来拍张照片也好啊！挂在衣柜里看也好啊！留给女儿当嫁妆也好啊！我怎么就没把它扛回来呢……

人生总是有这样的心痛啊，一时错过的美丽，一生错过。

旗袍风月

我对三四十年代的旧上海，有一种莫名的迷恋。集中体现在时装上，是对那个年代上海女人的旗袍，有特别的迷恋。那个时候的上海女人，国难当头，依然可以花时间去给头发烫上卷，为选一块旗袍料子跑遍半个上海，为拥有一块香皂费尽心思。

电影如是。

大概没有女人会忽略，《花样年华》里张曼玉的旗袍。当年曾经和美工造型师张叔平聊过，那十几件旗袍真的是绕世界地找最美的布料，绕中国地找最好的裁缝，反复几十遍才做成。据说张曼玉在试装时，看到镜子里裹在堪称华美的旗袍里的自己，愣了很久。我完全相信，旗袍精美到那个程度，任何女人穿上它时，都会有做梦的感觉。

你可以想象，女人穿上白色婚纱的喜悦；穿上军装的飒爽；穿上超短裙时的调皮；但是很难用一句话来描绘，女人穿上一件合体的旗袍时的复杂心情。明明是一件裹得严丝合缝的衣服，却有着浓浓的女人味道，从那些细密的针脚里透出来的，都是性感。

十几年前，我二十五六岁的时候，曾经托朋友请到木真了（北京一个专做中式衣服的品牌，巩俐曾经穿着木真了的旗袍走过戛纳红地毯。）

最资深的老师傅，帮我做了件紫色旗袍。师傅那一年已经年过六十，给我量尺寸时依然耳聪目明。我只记得从没有量过那么多复杂的尺寸，师傅的小助手大概记了二三十个数字在纸上。

旗袍做成，试穿的时候很紧张，系那些盘扣的时候都要憋着半口气，又没有系盘扣的经验，费了好大劲才一个个都系好，就埋怨说是不是太瘦了！师傅在旁边慢吞吞地说，穿旗袍松身了不好看。惊奇的是，当全部扣子系好，衣服仿佛是贴在身上般服帖，哪里都不觉得紧或者松，非常舒适。老师傅说，这就是旗袍的特别之处，一件裁剪精良的旗袍，不仅会让一个女人的身材凹凸有致，还会帮着一个女人挺胸抬头，让自己的身体呈现最优美的体态，同时，你并不会觉得累，你的身体和衣服是可以一起呼吸的。

不同的女人穿上旗袍有不同的韵味，可以低调得极致的优雅和贤良；可以张扬得极致的妩媚和诱惑。那件紫色旗袍，始终没有找到一个恰当的场合穿，在衣柜里一挂就是十几年，有个周末忽然想起，从衣柜里翻出时蓦然发现自己已比从前发福很多，再多憋一口气也系不上那些盘扣了。在镜子前低眉忍不住想，原来一个女人的时光就这么悄悄地过去了，那一刻，有小小的感伤，为一件再也穿不进的旗袍，和十年如一梦的青春。

于是就盼着，小女儿快快地长大成人，长到十六七岁的花样年纪，若是个如妈妈当年一样的苗条身材，一定送那件旗袍给她做生日礼物。

一直都在想，再去做件旗袍。其实，很羡慕旧时女人去裁缝铺做衣服（当然，还可以把小裁缝请到家来）。裁缝铺本来是个无关风月的地方，

旗袍领，黑蕾丝，白色珍珠耳环，年纪轻轻，也可以有一点韵味上身。

| 1999 年　北京京城大厦 |

但是总是觉得，一把尺子在你身上量来量去，一块布料贴着身段比来比去，就有了暧昧的意味。衣服做好，再专门跑一趟去试穿。记得《色·戒》里王佳芝陪易先生去做西装吗？佳芝顺便（当然，在电影里，许是女主角刻意地安排）自己取了刚做好的黑色带着镂空暗花的旗袍，换上掀开布帘走出来，那一刻女人不过随意地娇嗔和妩媚，让易先生目瞪口呆，只生硬地说了句“穿着！”，就带着穿着新旗袍的美人去晚饭了。

衣橱里有很多改良设计的有旗袍元素的上装或者连衣裙以及小礼服，但是改良就是改良，穿起来时髦，绝没有旧式旗袍的味道。看《花样年华》里的张曼玉的旗袍，都有着一种淡淡的腐朽的奢靡的香艳味道，那种味道，不仅让男人眩晕，女人自己也晕。

盼着有一天，趁自己身体还没有太走形吧，穿着件老师傅做的旧式旗袍，和他约在那种有火车座的老上海餐厅，吃一顿传统的西餐，其实吃什么都不重要，只是想做一回旧式的旗袍女子，希望他也爱，那个在旗袍里恍惚的小女子……

女人最美丽的时刻

女人一生中，有很多个美丽的时刻，只是每个阶段美丽的标准不一样。

从小就喜欢照相，家里的相册有二十几大本。闲的时候翻老相册，会发现自己成长过程中很多不完美可是自己后来看着却挺美的时刻。

一百天，妈妈把我打扮得像一个男孩子，戴着一顶鸭舌小帽，在照相馆照了一张很帅气的大头照。长大以后一心喜欢女儿装，小时候反复地问妈妈：您是不是那个时候希望我是个男孩呀？干吗把我打扮得像个小子！其实，那是我至今唯一一张照得有英气的照片。即使后来做了时装杂志，中性风潮再怎么流行，也从来没试过男儿装。

七岁，妈妈的学校组织去北戴河玩，带了我去。那是我第一次见大海，在海边，我穿着妈妈做的小超短裙，梳了两个朝天羊角辫，龇牙咧嘴地照了一张纪念照。后来每次看到那张照片，都忍不住乐，跟妈说，天，那个时候，我可真是个小丑丫头！

上学以后，学校里很流行照毕业集体照。集体照到多年之后成为了同学聚会的固定游戏，看看那些小人头，你还能叫出多少人的名字？

那个时候，还没有数码相机，照相是一件动静挺大的事情。二十岁的时候，我要去中国照相馆给自己照张成人纪念照片。特意让在理发店做事的邻居阿姨给头发烫了几个大卷，还自己买了一件当时很流行黑底印花衬衫，又偷偷涂了口红，臭美得五迷三道了，才满意地坐在了照相室的椅子上，学着当时《大众电影》封面明星的姿势，把手支在腮上，照了一张大头照。那张照片是我相册里最做作的一张，每次看到，都想笑自己。可是二十几岁时，觉得这样刻意的“美丽”，才是美丽。

我有一张照片，是我 2007 年在希腊的圣托里尼的小岛上照的。那一行中，有很多很漂亮得接近完美的照片，可是它是我自己很偏爱的一张。

那是个黄昏，海风有一点凉，我有一点疲惫。街灯还没有亮，我靠在街灯的柱子上，头发已经有些散乱，红裙子出了皱褶，并不搭调的开衫被我裹得紧紧……我不记得，那一刻我想到什么，我微微地皱着眉头，也许是海风的凉意到了心里，也许是想起了哪一件让人蹙眉的事……后来看到这张照片时，心里有小小的感动，其实人生，实在不是每时每刻都美丽的，虽然我们对着镜头的时候，总喜欢笑，总希望照片里看到的自己，是幸福而快乐的。

这张照片，很难得，没有笑，是生活的不完美可是美丽的一刻，也许因为真实和自然，所以美丽。

黄昏里的片刻踌躇
前文提到的很喜欢的一张照片。

| 2007 年　希腊圣托里尼 |

白衬衫

在我的衣柜里最过分的一件事，就是一模一样的白衬衫，有四件。第一次买的时候太喜欢了，担心很快就会不小心给弄脏，沾上西红柿酱之类的；马上就又去买了第二件；过了一个星期，又不踏实了，白衬衫不禁洗啊，两三水后就不白了！遂又跑回那家小店，一口气再买两件！再回去买的时候，店里的小姑娘直劝我：姐姐，要不您换个颜色？这些小店里淘到的白衬衫不贵，90 元一件，不过买四件还是有点过分，最后那两件在后来好几年里并没有再穿上，结果送了女朋友。

几乎每个女人都有“白衬衫情结”。70 年代生人的学生时代的第一身校服就是白衬衫蓝裤子；长大后从 20、30 到 40 岁，白衬衫一直是一件没有年龄界限的衣服。你可以用简单、干净、纯洁、素雅等等美丽的词汇来形容白衬衫的感觉；它也很容易搭配，几乎怎么搭配都不太容易出错；当然，出彩也不太容易；而即使一个再风尘的女人穿上了白衬衫，也干净三分。

在很多季的时装舞台上，设计大师们都把他们的白衬衫“情结”搬到了 T 台上；其实我自己也想不到，当年千篇一律的“校服”可以有一天变成最 IN 的时装。受到时装大师们的启迪，发现白衬衫其实有非常丰富多彩的搭配方法。配上宽腿的丝质长裤，是干练；配上百褶裙，是浪漫；配上宝蓝色短裤，是雅致；配上背带裤，是童心。

所以，其实每个女人，无论你什么职业，什么年龄，无论高矮胖瘦，漂亮或者不漂亮，白衬衫都应该是你衣柜里的常客。有些很难再有的心情，有些似水流年的感慨，白衬衫可以帮我们找回一点儿……

清汤挂面连衣裙

“清汤挂面”本来是用来形容女孩子长长的直直的披肩发的，在我还不依赖电脑前，那曾经是我最喜欢的发式。后来，成了电脑的“奴隶”后，总是嫌头发啰里啰嗦地会挡住视线，便改梳马尾辫，并且，从不留刘海，大脑奔儿对着电脑屏才清爽。再后来，干脆短发，只有“清汤”没有“挂面”了。

最喜欢的衣服款式、几十年没有变过的，就是连衣裙。小时候，我们都叫它“布拉吉”。妈妈有一双巧手，每个夏天都会在她的缝纫机下吱吱呀呀地诞生出几条漂亮的布拉吉。那个时候中国还没有 *ELLE* 这样的时装杂志，妈妈会去做衣服的小店翻人家的裁缝书，然后再改造加工，为我量身订制，件件穿进学校都“惊艳”！现在，报摊上放眼一望，时装杂志能打懵了双眼，可是，不知道还有几个妈妈会参考杂志里的款式给女儿设计布拉吉？！

连衣裙也有很多款式，从小到大，我只喜欢“清汤挂面”型的。

颜色要单纯，要么一个颜色，要么一个色系的色块搭配。从不穿大花大朵的布拉吉。可以是简单的几何图案，或者抽象色块。

款式也要单纯。可以有设计，但是最好都在剪裁上。不喜欢有类似

最钟爱的小裙就是连衣裙，立志要从六岁穿到六十岁。
马尾辫＋连衣裙，几乎是我青春的代名词。

| 2007 年　希腊圣托里尼 |

流苏之类的小设计缀在衣服上，也不喜欢过多的刺绣、拼帖、珠片……

连衣裙是个老少皆宜、并且对身材要求不高的衣服款式。到今天，我和我妈妈可以都穿着布拉吉出门逛街。妈妈早不踩缝纫机了，她最近十年的爱好是买块布料（真丝的首选）去小店里找裁缝做条布拉吉。

连衣裙的技巧非常简单：个子高又瘦的，别穿太短而包身的；高而壮的，穿收腰不要高腰的；个子矮而瘦的，裙长别太长；又矮又有点胖的，穿竖条到膝盖上的；肩厚胳膊粗的，不要穿吊带的……

有关口红

关于彩妆，我唯一还敢斗胆写的就是口红。其他的实在用得太少，心得不够多。念大学的时候，女生宿舍里最流行的彩妆产品，就是口红。我的第一支名牌口红是 Lancome，是一种很接近唇色的玫红色，在今天的柜台上，我当年用的那个颜色已经不生产了。我曾经持之以恒地用这一个颜色长达十二年！

这种固执实在不是一个时装编辑应该有的时尚态度。其实，我经常地尝试更换，只是换不过三天，又换了回来。经过在时装杂志十几年的“熏陶”，明显我现在在选择口红颜色上胆子大多了。女人啊，只要是十八岁以后，至少应该拥有三支口红 ：

1. 一支最接近你唇色的口红，涂上以后甚至不是那么明显地看得出来，但可以衬得你的脸色比较好看，在任何一个场合都可以用。

2. 一支亮亮的唇彩。唇彩是这几年新的概念，一般比口红要滋润，涂上有时会有点粘，但是通常都很亮。

3. 一支夸张一点的口红，有人喜欢大红，有人喜欢橙红，有人喜欢深紫红。同样的颜色在不同的脸上是有完全不同的效果的，反正想要的是惊艳的效果。

经过多年的“积累”，我大概有上百支口红，经常会用到的不超过十支，梳妆台上个个像小士兵一样齐刷刷地站成一排，等着我每天早上检阅！

如今的口红说法多了，很多买它们的时候，并不是为了将颜色涂在嘴唇上，比如：

1. Anna Sui 的一款限量口红，是把它著名的娃娃头印在口红盒上，不管用不用，看着就讨喜。

2. Chanel 2010 年在各大时装杂志上疯狂做广告的那支在打开时候会“卡登”响一下的口红，是满足女人虚荣的新鲜招数，涂个口红，有个声音在伴奏。

3. Dior 年年都出口红的小首饰，有一年是一个小手镯，手镯上挂着一个小唇彩盒，谁会真的去用它抹嘴唇？——没关系，口红有时也可以成为配饰。

总之，口红外壳是各大品牌 PK 设计的战场，口红内里是各大品牌 PK 高科技的烽火营，反正消费者就乐吧，一支小口红，故事多了去了！

如今口红的使用方法也有了很多变化，你可以同时将三个颜色“混搭”，为自己调出你最喜欢的颜色，只是画唇线这两年不流行了，流行用自然的轮廓涂出一个性感的嘴唇来！

我一直期待的一件事，是什么时候化妆品厂商可以将现在的口红分量缩小一半，然后价格也跟着“缩小”——这样可以减少浪费（实在是没有几支口红可以用到完），大家也还有预算做更多的选择！

耳环论

一直都说要写写耳环，这个在女人脸上如同星星一般的小点缀。

我对于耳环的钟爱，是从小时候看的古代侍女图开始的。仕女图上的每个美女，都挂着或长或短的耳环。我上小学的时候，同学里很流行自己画各种古代美女图，先素描，然后再依照自己想象上色。我不算画得好的，仕女的头和身材的比例总是搞不定，不是大脑袋小身子就是小脑袋大身子。但是我对于仕女身上的配饰总是可以别出心裁，比如说腰带、项链、头上的簪子，当然，还有耳环。

高中没毕业，我就自己偷偷去附近医院的小美容室扎了耳朵眼，为此好像当时还被班主任批评“资产阶级的臭美思想抬头”。当时买不起金银耳环，为了防止发炎，医生就给我的耳朵眼里分别插了两支小小的草枝，现在想来真是笑死人！

女人一定要有的一对耳环

白珍珠耳环。白珍珠可大可小，珍珠的成色可好可一般，去 Agatha 买人造珍珠的也行。戴着白珍珠耳环的女人，总是添了一分优雅。我见过的法国和日本的 30 岁以上的女人，小首饰盒里都有一串白珍珠项链和一对白珍珠耳环。记得 Coco 奶奶的经典形象吧？——白珍珠和她的高贵气质实在相得益彰。

女人可以尝试的一对耳环

买耳环的时候，总是喜欢买夸张的，特别夸张的，虽然买回来后，它们基本就是在首饰柜里躺着睡大觉。party 的时候，喜欢耳朵上有两串复杂的长长的东西在跟着自己晃，然后别人就会觉得你在“流动”，在“飘”。没有机会去 party，那周末也可以戴呀，耳朵上有两串小东西跟你的长裙一样，随风摆动，多有趣！

女人上班戴的耳环

跟着你的衣服的颜色和调子走吧，太叮叮当当的耳环就算了，有点闹得慌；小巧而精致的耳环是首选；除了搭配衣服整体气质，耳环还可以帮你有效地调整脸型。反正我喜欢和常戴耳环的女人开会。肯每天早上花两分钟给自己选个耳环戴上的女人，总还是有足够女人味道，总不会太凶太霸道吧？

长项链的妙处

我最近迷上了长项链。从上海到巴黎，扫遍街头小店，就为了买到特别的可以坠到胸前的长项链。

第一次看到长项链的妙处，是一个爱穿白衬衫的女朋友，在简洁的白衬衫外面挂了一条银色的（后来知道是白金的）长长的吊坠上镶着一圈小小的碎钻的项链，漂亮死！女朋友说话的时候，那条项链就随着她的表情在晃，很是生动。

女朋友告诉说那条项链是 Chopard 的，留了心思，四处在专卖店里找，一次在香港专卖店看到了一模一样的，将近六位数的五位数价格，是高级珠宝呢！

不再想珠宝的长项链，开始在小店寻找。不找不知道，一找吓一跳，小店里实在什么都有！

在上海新乐路的一家小店，找到一条毛线质地的长项链，手工不错，又有好多颜色挑选，115 元！配墨绿或者棕色系的衣服都很好看！

另一家小店的一条“圆环套圆环”的项链，店主一口咬定是某品牌的“原单”，所以要了个 280 元的价格。我根本不在意它到底是哪个牌子的，戴在身上就图个热闹。其实，我更希望它不是什么名牌“原单”，只是手巧的人做的小玩意。后来慢慢发现，在上海有很多个独立的首饰设计师，开着小小的店，店里通常有一面墙的小扣子小珠子和彩色绳子，只要你耐着性子和店主聊一聊，她就可以帮你做出一串独一无二的只属于你的项链。

在巴黎玛黑区小店淘到的，是10欧元的一个锁形的长链。上面缀满了小水晶，亮闪闪的煞是好看。你要是在周末北京的哪个街口碰到我，我经常就穿着耐克的运动鞋，一条宽筒灰色运动裤，然后淡粉色的高领毛衣上挂着这串亮晶晶的小锁！

受很多个配饰设计师的启发，最近迷上自己动手手工设计自己的长项链。发现没有那么难，将旧项链拆拆改改，再加上些淘来的老胸针老珠子，就是新样子，还是新乐子。

我的第一个 LV 包

在我家衣柜的一个角落，躺着一个旧得已经有些变色的老 LV 包，多年没用，只是在换季收拾衣柜的时候还经常拿出来看看。法国经典品牌 Louis Vuitton 路易威登在今天的中国城市里，已经成为路人皆知的名牌。但我和这个小包的感情，和名牌有关系也没啥大关系，它是我和奢侈品的初恋。

我 1992 年大学毕业，在一家外企做电视节目，月工资 2200 元，当时觉得自己特有钱，见天儿的请大学同学搓饭，分在国企里的同学一般收入 800 元就不错了。公司的同事里有好几个台湾女孩，她们来北京出差的时候每个人背的都是同一个牌子的包，那些不同款式的包上都有着一样好看的小花图案和 L、V 两个字母。我当时觉得她们的包简直好看死了，就问人家，这包是哪里买的？台湾女孩说：LV 你都不知道？（天，那个时候我真是不知道 LV 是啥呀？！）台湾女孩还说：这包呀，越旧越好看！用一年才出模样，用十年也不过时，用二十年也坏不了……

我听了都傻了，天啊，这是什么包呀？！

我去香港出差的时候，央求台湾同事带我去看那个“用 1 年才出模样”的小花图案的包，才知道那包的牌子叫“Louis Vuitton”，我喜欢的小花图案叫“Monogram”，人家是法国已有100多年历史的名牌。我完全被价格吓倒了，一个斜挎的双层小包，要港币4000元!

我非常恋恋不舍地离开了LV专卖店，回到酒店一个晚上都在想那个“小花图案”的包包，翻来覆去地盘算自己小存折上可怜的存款，最后做了一个“壮烈”的决定，省吃俭用几个月，这一季的漂亮小裙不买了，加班再晚也不打车了，同学的客先不请了，我要我的那个小花包!

我真的花了近两个月工资买了那个斜挎的小包——可以想象，那个包带给了我什么样的快乐，我背着它去上班的时候，就会觉得天也蓝水也绿，老板再骂也扛得过去！尽管那个时候，我根本搞不清楚什么名牌不名牌，我只知道我和我的台湾同事一样，也背上小花图案的包了，而且，十年都不过时!

二十年过去了，那个小包的确没有过时（现在LV专卖店里还在卖！），尽管很旧了，但是也真是哪里都没毛病，我偶尔还是会把它翻出来，背一背，那个滋味和后来再买的数个名牌包的感觉，都不一样。

后来我做了时装杂志，十年里和LV有了无数次的“亲密接触”。去过巴黎LV的第一家工厂参观，还有机会跟着老师傅学了一道缝制背带的手工工艺；去过LV的博物馆，和路易威登老先生的后代聊过旅行的心得；每一年都去巴黎时装周看LV新一季的时装发布和新包发布；这几年LV在全球做了几次非常好的展览，用那些百年的斑驳的老箱子重温一个品牌的历史，用高科技的手段展现品牌的创意，我尤其喜欢这十年来品牌和多个才华横溢的艺术家的跨界设计，让一个普通的包有了新的生命力。……LV 对我来说，早不是一个“小花图案”、两个英文字母那么简单，我的职业让我有更多的机会看到了 logo 背后的很多东西，比 logo 本身更精彩更有意思。

关于名牌，很想和大家分享：

· 用自己的劳动换来的奢侈品是对自己的奖励和认可，那种快乐无可替代。

· logo 本身，并不能给人带来快乐，我们的快乐在于我们的满足。

· 名牌之所以可以成为名牌，一定有它独特的工艺，技术和创意。不必附庸名牌，也不必抗拒名牌。对任何一件奢侈品，如果你心里只有 logo，那么你眼里也只有 logo；如果你肯关注 logo 背后的历史、文化、设计，你可以得到比 logo 本身更丰富也更有价值的东西。

· 即使这世上最有钱的人，也不可能把这世上所有的好东西都搬回家。所以，在很多时候，看到，了解到，感受到，比拥有更容易快乐。无论你是否是名牌的消费者，都不妨多看、多了解，多感受。

为什么女人爱手袋?

这是我们一直都想说一直都不知道怎么说清楚的有趣的时尚话题，为什么女人们都那么爱名牌包呢？几乎所有的奢侈品牌销售排行的榜首总是手包；甚至我们至爱的包都在以我们至爱的女人命名：因为戴安娜 Tod's 有了畅销全球的 D Bag；因为 Grace Kelly Hermes 有了举世闻名的 Kelly Bag，两位王妃生前都是名牌手袋以及时装的热情追随者，都带给了沉闷的王室一丝生气，从而成为我们的时尚偶像。

但是，这些名牌手袋究竟带给我们什么呢，让我们如此着迷？我自己身陷其中，每个月在杂志上和我们的时装编辑以及中外明星一起煽动最新最 IN 的手袋们，每次拍摄，大家都围着时装编辑借来的一箱新款包大呼小叫——因为职业，我们必须学会欣赏和解构这些新包；但是除了职业的原因，我们为什么依然爱它们？绝不仅仅是人们通常想象的爱慕虚荣那么简单，试想想，你拿着一个你梦寐以求的，合适放你所有东西的，和你的气质相得益彰的，给你的着装锦上添花的包出门，你自己会是一个什么样的状态？

我有一个从前跳芭蕾舞的女朋友，当她在 Anya Hindmarch 专卖店看到一对母女跳芭蕾的图案的包时，眼都直了，我可以想象，她爱那个包的程度，那个图案一定让她想起从前的风华；我另外一个已经在名包品牌店工作的女朋友，哭着喊着非要买一个 Hermes 的 Kelly 包，还想好了就要个金色的，我说那么贵你根本就没机会用，她说做梦都想，周末拎着去约会，心情好死！有一年我为我的笔记本电脑寻寻觅觅两个月，终于看中 LV 那一季和日本艺术家村上隆跨界合作的大樱桃包，不仅笔记本可以轻松地放进去，而且上面的小樱桃图案是有表情的，樱桃包每天坐在我办公桌对面的竹椅上，包上的小樱桃们生龙活虎，一个小樱桃会笑，另一个小樱桃张着嘴，好像在和你说话……

所以，不要轻易讥笑女人们痴迷名牌手袋，每个手袋对于每个女人就像一段公开的或者私密的感情，自有爱它惦记它做梦都想它的理由。如果你不着迷那些新鲜出炉的手袋，一点错都没有；但是如果你也是个包包分子，请尽情享受女人用新包旧包、大包小包的各种快乐。我至今在女人衣柜的私生活时刻，最享受每个周日晚上去柜子里翻一翻，想一想下周用哪个包上班，抓出个心仪的旧包，依然兴奋，好像碰到了个多年未见的旧情人……

手袋知心话

我老公曾经很“恶毒”地说：

雪，你会成为中国第一个被包砸死的女人的！

这句话的起因是在我们家，放包的地方在大衣柜的顶层，我不太够得着，于是每当旧包用腻，我就以一个投球的姿势给它扔上去；但是要从上面拿包的时候，就要踩着凳子去翻才找得到；我又经常懒得搬凳子，就蹦蹦高使劲将各色包的带子往下拽。经常一拽就拽出了一串，还没搞清是不是自己想找的那个，就已经被像皮球一样滚下来的包砸到了头……赶上几次我尖叫的时候，都是被男人看到，又气又心疼。

男人总是认为，女人爱包就是图的那份虚荣，大家都在互相看啊，比啊，嘴上都不说，心里都较劲。那部《穿普拉达的女王》（*The Devil Wears Prada*）描述那个刁钻刻薄的女主编，在这个“圈子”一点都不稀奇，是不是“刁钻刻薄”到那个程度不好说，但是，反正是都挺“劲劲”的。

其实，大部分女人都爱包，除了虚荣之外，还有别的理由吗？我曾经在罗马很认真地问 Fendi 的手袋设计师 Silvia Fendi 女士，她的回答让我豁然开朗，她说，女人爱包的原因很简单啊——天下男人都好奇女人的包里到底放了些什么，全世界的人都关心好莱坞明星的手袋里放了什么，口红啊，粉盒啊，手机啊（手机里有谁的短信啊，微博里都关注了谁呀），信用卡啊，甚至避孕套啊……——女人的包放着女人所有随身的秘密，所以女人在乎它啊！

这位设计师几年前设计了一款叫 SPY 的手袋（我们杂志曾经说 SPY 是专为吸烟的优雅女人而备的手袋！），居然有个小袋子是放香烟的，而另一个带着镜面的小把手，里面是放打火机的！——这个手袋是那一年所有时装杂志的“must have”，一夜红遍全球，到今天还是 Fendi 店里的脱销货品，可见是把女人的心理琢磨透了！

以下是我对包的一点小想法，虽然没有 Silvia 那么透彻，希望可以抛砖引玉，在你下一次购物之前能给你点新思路：

1. 不拿名牌一点都不丢人；丢人的是拿假名牌（多好的 A 货也是假的，专卖店的小姐都火眼金睛着呢，犯不着为个包挨人家白眼）。

2. Logo 不是坏东西，但也不一定能帮你加分，所以拿着个带大 logo 的包待人接物就低调一点，别和 logo 一起张扬。

3. 纯粹手工的包通常不完美，没有大机器生产那么好的技术，但是足够特别，而且你可以自豪地对别人说：这包是谁谁谁帮我缝制的！

4. 不要迷恋那种设计繁复的包，最好用的包都是最简单的。

5. 要是外婆或者祖奶奶的包还“健在”，千万收好，稍加清洗改动，就是现在最 in 的 vintage！

6. 要是有能力，限量包还是值得收藏的，虽然并没有一个数据显示它们会升值，而且通常我们也不大舍得用——所以我们要生女儿，我相信这是给她最好的嫁妆之一；当然还有，每过一段时间我们翻出来看的时候，自己的得意和兴奋。

7. 用偏门的有特点的设计师品牌包经常让人刮目相看，几年前我曾迷过英国品牌 Anya Hindmarch，你要是能再将自己六岁时的照片印在上面，那就更时髦了。当妈妈的想把宝宝的照片印上去，没当妈妈的想把自己的小猫小狗印上去，总之，有个专属自己的个性图案在包上，总是亲的。这几年有非常多的独立设计师品牌涌现，比如美国的 Katherine Kwei、Rebecca Minkoff、Tusk，意大利的 Corto Moltedo、Paula Cademartori 设计都非常特别，小批量生产，不容易和别人“撞包”，用起来很有小小成就感。

这一趟出门，带的是 Katherine Kwei 有盘扣的包，包的自重很轻，可拎可背可挎，颜色又百搭。

| 2010 年　西班牙巴塞罗那 |

阳光下，闭上眼。外面是喧嚣的世界，心里自有我的方寸悲喜。

| 2009 年　瑞士苏黎世 |

CHAPTER 3

做一个有态度的女子

倘若做不了一个有姿色的女子，或者一个聪明伶俐的女子，至少，要做个有态度的女子吧！

态度，就是有自己的主张。

这十年我们生活在一个快得让人头晕目眩眼花缭乱的时代，因此每个人内心的判断就变得尤其重要。不是所有新东西都是好的，不是所有的拥有都是对的。

一个有态度的人，内心有自己清晰的价值观，是不会轻易为世间是非功利而左右的。当然，我们生活在世间，世态炎凉都在眼下，在所有浮尘中，如果能保持自己的一颗清醒的心，命运就可以掌握在自己手里，快乐就可以掌握在自己手里。

“态度决定一切”，这是一句被经常用到的宣传词。也许在今天这个日新月异到每个人都在不停地更新自己的时代，态度决定不了一切，但是至少，态度能让一个人张弛有度，冷暖自知。

| 2004 年　法国阿维尼翁 |

假如剪掉 logo

我一到夏天皮肤都特别容易过敏，尤其是脖子后面，对所有衣服上的商标都有不舒服的感觉，新买的衣服进家门的第一件事，就是剪掉领子后面的小商标。

到朋友家聚会，女友盯着我的新衣目不转睛，“真好看，哪个牌子的啊？”，习惯地，女友的手去翻找我领子后面的小商标，但是，早就被我剪掉了，女友只能看到光秃秃的衣领，于是女友有点失望地说：我还以为是 MaxMara 的呢！我在你们杂志上还看到过图片呢！

其实，女友真的是好眼力，那件衣服就是 MaxMara 的，只不过让我把 logo 给剪掉了，而剪掉 logo 的 MaxMara，让女友觉得就不是 MaxMara 了，那么，我们到底是穿衣服还是穿 logo，logo 是我们美丽的、自信的、炫耀的资本吗？

这件小事让我对我的职业有了小小的反思，我的工作里充满 logo，在所有的时尚类杂志中，logo 简直像一面旗帜一样，在杂志的每个角落飘扬。对于一本做奢侈品的杂志来说，logo 里的学问是我们必需的功课；对于一个品牌来说，logo 经常是其设计精髓的重要体现之一。

那么，在我们的生活中呢？

Logo 至少不是最重要的，如果你穿的华衣，别人只看到了你身上的logo，而忽视了你本来的风韵，那是挺遗憾的事，是我们常说的“衣服穿人”；而“人穿衣服”的境界，是无论你穿什么，你的衣服 logo 在身上还是被剪掉了，看得到或者看不到，你依然风姿绰约。

Logo 呢，不是坏东西，但也不要成为我们的负担，剪掉了就剪掉了。在一件衣服上，总是有些东西，例如设计、面料、裁剪，不会因为 logo 的消失而消失；人也是一样，虽说人靠衣裳马靠鞍，但衣裳之外，总是有些东西，是什么样的 logo 也代替不了，永远都会令自己发光的。

一个女人星光灿烂的秘诀

做时装杂志之前一直在影视圈工作，所以和很多明星私交甚笃。很多今天的大明星，在当年认识他们的时候，都还是中戏或者电影学院的学生，像所有普通大学生一样，穿着T恤牛仔在麦当劳里喝橙汁聊天。

我还记得第一次见章子怡，她羞涩又固执，穿着一双可爱的丁字皮鞋，死活不同意化妆师给她画上蓝色的眼影；第一次在中戏附近的麦当劳约袁泉，她害羞地承认自己正在热恋，那个男孩子也在校园里叫做夏雨；第一次见小陶虹，虽然梳着长发性格完全是个调皮的假小子，一笑眼睛就是一条缝，后来她做了好几个电影节的影后；第一次在中戏的课堂里看到刘烨，觉得他是一个太内向的大男孩，可是后来他做了"影帝"……

不是所有的丑小鸭都可以变成白天鹅，但是，从小鸭变成天鹅的女孩子，性格上都有一个共性，那就是：自——信。星光灿烂并不是明星的专利，我们经常可以在大街上看到某一个女人，会情不自禁地被她的打扮、气质或者谈吐所吸引，她不是明星，可是她有"星光"，那个星光叫"魅力"。

世界上没有一个人是完美的，就算是明星，就算是Nicole Kidman，从皮肤的透明度到身材的比例，尽管是老天最好的眷顾，也还是会留下一点遗憾。女人身上有些东西，是先天给的，比如五官的模样，你不可改变也无必要改变（大规模整容除外）；而另外一些东西，是后天完全可以“修炼”出来的，比如自信，以及气质。

一定不要因为自己身上的某一个缺陷或者不完美而抱怨，比如个子有点矮，嘴巴太大，脸不够“瓜子”，腿不够长，很可能你的缺陷就可以变成你最大的特点，成为你的个人“标签”。M.A.C 的全球彩妆大师在北京接受 *ELLE* 的采访时说：自信是最重要的，不要在化妆的时候总是试图“纠正”什么……每个人都有自己独特的美丽的地方。

不仅仅是美女可以“星光灿烂”，只要一个五官端正的女孩子，都有条件魅力四射。在别人认同你的美丽之前，你先要很肯定地对着镜子里的自己说：我真的不差，我是一个有魅力的人！然后，才是你的仪表、打扮、姿态、谈吐等等。

自信，是女人手里的一个小魔棒，如果想更有魅力，更“星光灿烂”，它比一支口红、一瓶粉底、一个遮瑕膏，以及一个名牌包、一颗钻石、一身昂贵的行头，都神奇和有效得多。

性感是怎样炼成的

其实，性感和漂亮无关。

性感和说话的声调有关。很明显,如果一个女人可以学会低两调（不是低三下四）地说话比粗声大气地说话肯定要性感，一个喜欢指手画脚高谈阔论的女人和温柔绝缘，要是还懂得一点抑扬顿挫的技巧，那你的声线很可能就有了磁性，声音无疑也是性感的方式之一。

性感和神态有关。你专注地去看一个人或者一样东西，那个人也会被你迷住，那样东西虽然不会说话，但也一定忘不了你的凝视。不知道为什么，总觉得性感和专心有些瓜葛。

性感还和姿态有关。记得杨紫琼在《艺伎回忆录》是怎么教章子怡走在大街上引起陌生男人的注意的吗？那个方法稍稍有点过（人家是艺伎嘛！），但是，道理是对的，女人举手投足之间，都可以风情万种。不在于穿得露或是不露，在于女人将羞涩和大方、妩媚和端庄做最完美的结合。

性感当然，和着装有关。高跟鞋是一定要学会穿的，还要学会穿着至少 7cm 的高跟鞋挺胸昂头如踩平地般走路，学会让自己的腰和臀不那么做作可是有节奏地跟着你的高跟鞋一起摇摆；晚礼服是一定要试一下的，让你的胸部呈现最优美的线条，让裸露的后背有丝一样光滑的肌肤，最重要的是让自己体验成了明星变了公主的感觉，心里就会感慨：做女人真好！而一个女人无比知足的时候，会呈现一种娇嗔的红晕，那个时候自然是性感的。

有的时候，看到密密实实地穿着黑色高领毛衣牛仔裤的女人，也觉得人家性感，那是因为线条，当你的衣服最大程度地为你勾勒出女性的线条时，你的衣服让你性感。

性感 TIPS：

1. 颈部是女人容易被忽视的性感部位，好好保护它，适时裸露它，一定为你添分的。

2. 要是选择露，更喜欢裸着背，前面的密实有点儿神秘，风情都在转身之间……

3. 手指甲和脚趾甲，涂什么颜色不是最重要的，干净也是一种性感。

4. 有一些颜色和材质，总是和性感更近一点，比如：黑色礼服，是高贵的性感；白色内衣，是纯情的性感；蕾丝花边，是挑逗的性感。

5. 害羞的红晕、低着头微笑、撒个小娇——你是女人嘛，你总是要会这些小招数。不是为男人，为了让我们自己更女人。

写到最后，想不好一句特别贴切的话送给大家，人家说我的博客是"好女人教科书"，其实，做"好"女人或者"坏"女人都不重要，要享受自己做女人的感觉，自己越享受，才会越自信，女人味道也就越醇厚……

大一号女人 小一号男人

周末在设计师好友韩枫家吃席，一众男女朋友聊得兴起，说到了男人女人有关着装性感的话题。

席间一位男士提出问题：女人怎么穿，男人会觉得你性感？

男士说，好多女人认为，男人眼里的性感女人，就是穿得薄露透，简直是大误会——稍微有品的男人，才不喜欢穿得肉鼓鼓的女人，胸也罢，屁股也罢，肆无忌惮地都要从衣服里弹跳出来，那还能有什么美感？

有人附和：中国男人喜欢的女人的性感，是含蓄的，懂得分寸的，张弛有度的，进可攻退可守的性感。

具体说回到衣服上，是要穿“大一号”的，就是说，女人穿衣服宁可大一号，也不要紧巴巴的小一号。男人说：最烦女朋友买衣服时，明明是穿38码的，在试衣服的时候捶胸顿足地发誓要减掉5斤肉，非要把自己塞进36码里去，然后抱了36码回家，5斤肉也没减下去，狠狠地把自己裹进小半号的裙子，紧巴巴的，手脚都不自如，扣子好像随时要绷开，美感顿失。男人说，其实呢，一点不在意女朋友是胖5斤还是瘦5斤，喜欢她就穿那件松了一点点的38码，风情万种都在宽了半号的裙子里。

席间的女人们不示弱，开始讨论什么样着装的男人在女人眼里最性感，答案是“小一号”着装的男人，才是性感。

说起男装，真是恨啊——好好一件西装，非要选肩膀大得要溜下肩一寸的，不是男人的肩最好靠么，实在不想靠在那样的肩膀上；还有衬衫，领口的学问很大，一定要严丝合缝才好看；裤子么，当然不要大一号，裤腿肥半寸，裤边能扫地，多邋遢啊；T-shirt，还不是老头呢，不要动不动就穿那种比自己身材大好几号的老头衫，也不是 18 岁要天天去跳街舞，背心么还是服帖点好。

女朋友举例说：有的时候看到男人在西装店改西服，是要改得再修身一点，修身到西服扣几乎扣不上，然后洒脱地干脆不扣了，嘿嘿，帅的！

大家七嘴八舌地小结，女人要大一号，男人要小一号，才是对方眼里的性感着装；那到底什么是男人女人眼中的性感呢——性感其实就是“舒服”，是不做作不张扬地把各自的性别优势和特质发挥出来，“舒服”的本质是自如、自信、自然，舒服了，就性感了。

性不性感我说了算

性感这件事，在很多女人，包括我自己，总是一个有点纠结的话题。

我从小就喜欢 Barbie，小时候过生日的时候，如果谁送了我一个 Barbie 娃娃，那一定是最难忘的生日礼物。长大以后，有的时候会想，是不是喜欢 Barbie 的女人，潜意识里都会希望自己能有 Barbie 那样的完美身材，而只有那样才是一个性感的女人？

以前总是觉得，一个女人性感或者不性感，是男人说了算，历史上的性感偶像，都是男人眼中的尤物。很多女人心里抱怨自己不性感，是因为不符合男人眼中的黄金三围标准，脸不够“瓜子”，胸不够高耸，腰不够纤细，臀部不够滚圆，腿不够修长……

我的身材和完美无关，除了不算胖子外，哪个部分都离 Barbie 美女标准很远：眼睛不够大，腿不够直，鼻梁不够高，胸不够大……等等，少女时代一直都很嫉妒长得好看的双眼皮女同学们……

如果我们身边有个女朋友，她有点胖有点矮有点平胸有点小腿短粗，我们是不是会忍不住地为她遗憾，她这一生也许会和“性感”无缘？

调查公司在做女性调查的时候，如果有一项问题是“你觉得自己性感么”，肯定的答复从来没超过 50%——我们在性感这个问题上，到底为什么不自信?

过了30岁我才想明白这个问题,不自信不是因为男人看我们的目光,是我们自己对自己的评价。

在有一期杂志的特别企划中，我们举出了几个受关注的颠覆传统性感定义的新性感女性：有点胖可是“快乐比瘦诱人”的奥斯卡影后Kate Winslet；敢说自己“胸围和性感平起平坐”的Keira Knightley和张曼玉，小个子歌手Kylie Minogue，一点都不小鸟依人的美国第一夫人Michelle Obama……她们都有明显地不符合Barbie性感定律的“缺陷”，而她们都是如此的有魅力!

所以，不管你信不信，很想由衷地对你说，如果性感是10分，那天生的身材和相貌最多占5分，另外5分完全靠后天努力可以掌握。

其实，最想和朋友们分享的观念是：每个女人，无论你自身的身材条件如何，都要建立自己的性感自信观，性不性感，是真的可以由我们自己决定的！就在那期杂志选题会时，大家曾经地开心地大笑着说：我们要和Barbie Say No！ Barbie再可爱，不过是我们摆在客厅里的娃娃，而我们自己，不是Barbie，是每个人都不一样的，有着鲜活个性的、可以发自肺腑地笑可以开心地舞动身体的生动的女人，性感其实不只在身材，性感，是一个女人内心魅力加上外表魅力的爆发。

其实,我更想说,性感这码事,真别太把它当回事,那些性感的标准,美女的标准，和我们都没啥关系，自己自信和开心最重要，一个自信而开心的女人，任何年龄都是有魅力的!

最偷懒的保持身材的方法

我的方法是很招女朋友“恨”的：从不进行任何的瘦身活动，每天每顿大吃大喝，吃得再多也就扛四个小时，就饿得不行了，马上需要再吃。每天不能离开的是巧克力，最爱吃的菜一点品位没有——猪肉炖粉条和拍黄瓜，还有“垃圾食品”麦当劳。

基本我是一个忍耐力很高的人，但是只有一个委屈不能承受，就是饿。估计倒退几十年，我要是个地下党什么的，肯定为了一碗热汤面就做了叛徒。

但是，还是有那么一两个小秘诀，从来没跟人说过的，就当是送给朋友们的礼物吧。

每天每顿饭后站半个小时

听着容易，做起来可真不容易。在办公室里，经常是匆匆吃完就一屁股坐回电脑前了；晚饭后，一舒服就靠在沙发上了。不要不要，一定要想办法让自己站半个小时。让鼓起的小肚子回去！其实挺累的，尤其吃得特饱的时候，昏昏欲睡，头重脚轻，站着要点儿毅力呢！

如果你更有毅力，可以靠在墙角做一个姿势，踮起脚尖，两臂交叉抬高到头顶——可是不容易，保你5分钟大汗淋漓！

夏天来临前，控制晚饭的主食

我在夏天迷恋穿吊带小裙，那哪能有肚子啊！所以，每当6月左右的时候，我就坚持两个星期的晚饭一口主食不吃，可以狂吃肉，试了两年，发现还是很有效的，可以迅速让冬天积累在下腹的累赘不那么明显，其实体重变化不大。两个星期就够了！要是天天不吃主食我可受不了！

我真的就这两“绝招”，再没瞒着大家的了！不过，我确实认识一些虽然胖但是同样有魅力的姐妹，所以，如果老天对你在身材这事上不是那么好，你就想，那它对你肯定在别的事上比别人好！而且，不知道为什么，我老是觉得胖人好像都更容易开心，心思没那么重，其实是福气呢！

年轻的秘诀

当我向第一次见面的朋友说出我的年龄时，所有女人的反应都是：

“啊，你怎么保养的？”

所有男人说的话都是：“你看着真不像？！”

大家别费心猜了，我很愿意和大家分享我的年龄秘密，因为对我来说，年龄从来没成为过困惑和秘密。

我属狗，处女座，A 型血，刚刚过了我的 40 岁，真好。

为什么皮肤那么好？——天天做面膜啊！

为什么眼角没皱纹？——美人不晒太阳啊，还有眼霜和眼膜。

为什么身材还没走样？——70% 是天生的，30% 的秘诀前文已经告诉大家。还有就是会用衣服的款式来遮挡自己身材的缺点。

为什么“显得年轻”？——这个没说过，很重要，今天来说说：

一个女人，想要延长自己青春的生理年龄，首先要延长自己的心理年龄。其实很容易做到，我可以做到，你也可以。

1. 年龄压根就不是秘密，如果你可以“享受”自己的年龄，你就跑在了年龄前面。我在 27 岁的时候，就天天跟人家说我就要 30 啦，因为那个时候，我坚信，30 是一个女人最美的年龄；过了 30 岁，我看到了身边一些过了40的姐姐们真是风华绝代，就想，女人40才是一枝花呢！我现在到了40岁，已经开始了对50岁女人的憧憬。生活其实对每个年龄段的女人都很公平，会给你只有到了那个年龄才有的风采。

2. 不要让年龄过多地限制你在生活中的各种选择。

我做*iLOOK*前的之前的10年工作经验，都在影视圈，当我决定改做杂志的时候，我快30岁了。周围90%的朋友都劝我不要改行，因为你就要30岁了。而其实，从零开始的拼搏是人生难得的乐趣，不管你从几岁开始。

我很羡慕我在美国的女朋友红红，她在34岁的时候辞掉一份很好的工作，卖掉房子，去另一个遥远的城市读MBA，她说这在她的美国朋友圈里，是很普通的选择。我想过，没有做到，但是我认同和钦佩这样的人生选择。

3. 知道成语“朝三暮四”的小猴子的故事吧——生活就是这样，好多事，看你怎么想。

我2005年曾经在旅游卫视做过一年多的电视节目主持人，节目刚开始播出的时候，周围所有朋友都投诉，雪儿你们的化妆和灯光有问题啊，把你拍得不漂亮啊？！其实不是人家把我拍得不漂亮，是我自己还没有掌握如何在镜头前像我写字这样地自如。但是我一点都不生气，更不着急，因为我很快发现了另一个好处，凡是看过我电视又偶然见到真人的朋友，第一句话一定是：“哎呀晓雪，你本人比电视上漂亮呢！”

——你看，多开心！

所以开心很重要，所有不开心的事，找一个开心的角度去想很重要。阿·Q 精神在很多时候是可以帮助我们“想开”了的思维角度之一，不妨阿 Q 一下！

4. 不要因为年龄放弃你心底深处想要的东西，永远不要。

比如爱情，刘晓庆说的好：爱情永远可以让女人容光焕发，不管你是 18 岁还是 78 岁，追逐爱情和年龄无关；

我另外一个女朋友西西，因为她工作起来玩命，人家都不把她当“女人”，而叫她“铁人”。到 36 岁的时候她改变了自己的生活节奏，花比以前多五倍的时间打扮自己、保养自己，让自己想得开，她真的变“年轻”了，快乐了，而且女人味十足。朋友圈中的一位老大哥总是戏谑她这是“二次装修”，没错啊，我们的一生需要很多次“装修”，才可以“显得年轻”。

并不是单单外表的改变，是因为你的心还年轻——你坚持不凑合过日子，你和 18 岁的时候一样，觉得日子还长，一切都来得及。

5. 无论是男人还是女人，都要相信，下一个年龄段的生活在给我们准备着不可预知的另一个惊喜，另一个希望。而事实确实如此。

在我 41 岁的时候，终于下定决心再次走进校门，考上了中欧国际工商学院读 EMBA。在 41 岁生日那天的微博中写道：喜欢“1”这个数字，既代表着第“1”最好，也代表着“1”切可以重新开始，“1”切都来得及。而在每个月上课的四五天中，真的感受到了课程带给自己的新的知识、新的视野和新的思维方式。

所以，女人三十五十都不重要，重要的是心态。

女人在 party 上自信的秘诀

说过的，自信是一个女人美丽最重要的秘密武器。一个自信的女人，不可能是不美的，无论你长得漂亮或不漂亮，身材胖或瘦，脸上有几道皱纹几个小包，你都是美丽的——因为你自信。

每到年末，都会有很多 party 和年终聚会。今天就聊聊，怎么在外面人多的地方，在 party 上，让自己自信。现在各个行业都兴起做“大趴”，每个公司的年终年会都搞得风生水起地热闹。 party 是个特别的场合，如何在 party 上让自己更自信，如下小心得分享：

1. 出门前多照镜子，先找着镜子里自己的最佳感觉。

这不是自恋，有时你认真照镜子，会发现后面裙子的拉锁没有拉到头，头发有一绺没梳好，再或者丝袜后面有个小洞什么的。这些都是让你在 party 上不自信的隐患。

2. 太高的高跟鞋是危险的

要是你平时不是那么习惯穿高跟鞋，那不要尝试 8cm 以上的高跟鞋，那会让你走起路来看着有点奇怪。

3. 学会微笑

没有人会拒绝一个微笑的女人，不管你漂亮不漂亮，微笑是最好的交际名片。

4. 不懂别装懂

有些话题，可能完全在你的知识体系之外，比如炒股，虽然是很热的话题，可是我一无所知，那就大方说自己不懂。不懂一点都不丢人，不懂装懂才容易露怯。说实话反而让自己自信。

5. 在男人面前别嗲别娇别做作太过

当然，也许有的男人就是喜欢特嗲特娇的女人。但是，大部分男人，还是喜欢大方的女人，尤其要是人家太太就在不远处横眉冷对远远看着你的时候，大方是最保险的！

碰到你心仪的男人，可以“作”一下，千万别过分。

中国人讲究“大家闺秀”的礼仪，大方女子总是最受欢迎的。过度做作其实会让你失去自信，在“扮演”一个临时的角色时，很容易演得过火。

6. 想好再说

要是你平时是个内向孩子，不那么喜欢在外人面前夸夸其谈，又正好赶上派对上谈起了一个你有兴趣的话题。那你在张口说大段的话之前，一定先用两分钟打个腹稿，然后一气呵成，要不然自己没想好、没顺好要说的话，中间再被其他人打断，很容易一下失去了说话的自信。

7. 一小时去洗手间照一次镜子

这挺重要的，有时贪了两杯，有时玩得兴起，什么都忘了。去照照镜子，看看自己的姿容是否还整齐，是一个优雅女人在派对上保持自信和分寸的秘诀。

吃饭小趣

说出来气死人，我实在算是一个能吃的人，我自己也不太搞得清楚为什么一天吃四顿还是不能胖起来。按照时髦的理论，越瘦的人越能吃吧！下面说说几个关于吃的我之“最”，博大家一笑。

最怕吃的晚饭

去巴黎出差下飞机的第一顿晚饭，且是和某一个重要的法国客户吃。

和法国人吃饭，真是有压力啊！首先要穿得很像模像样，高跟鞋是少不了的，不管是冬天还是夏天，都要穿着优雅的小裙；其次是实在难以忍受他们热情的寒暄长度，餐前酒要喝到晚上 9 点，还在互相问候，9 点半才开始点菜，10 点开始上菜，一道又一道，到甜点的时候已经 12 点了！——我又倒时差，又刚下长途飞机，每每这个时候都挂着从牙缝里挤出来的微笑，心里盘算，什么时候才可以躺平在床上啊……

最喜欢的快餐

全世界的麦当劳，上海的生煎包，纽约街头的热狗，威尼斯巷角的披萨，东京随便哪个小馆的拉面，巴黎拉丁区的火腿煎饼……

有一年去纽约，很荣幸地和某总裁夫人吃饭，夫人笑眯眯地问我：喜欢我们纽约的哪家餐厅啊？我说“麦当劳”，夫人皱皱眉，很体贴地低声说，那是垃圾食品，再不要跟别人说你喜欢吃麦当劳啦！我说，喔，那我还喜欢吃你们的热狗！ 2美金的那种，太好吃了！夫人这回没说话，我估计她心里肯定说，这中国做杂志的女主编，怎么这么土啊！！——可是我说的是实话啊！

最不好下咽的点心

在很多个灯红酒绿的party中，举办者都花了很多钱，请类似Grand Hyatt这样的酒店厨房来做点心，于是就有很多帅哥举着盘子一个晚上都在你眼前晃。盘子里通常是迷你的三明治和各种精巧的中看不中吃的点心。我最恨这个时候，不吃吧，又眼馋，觉得好像是好东西呢；吃吧，穿着露背的晚装，踩着10cm的高跟鞋，拎着小晚装包，真不知道用什么姿势吃才能和这套行头相配！而且，我还恨站着吃东西，怎么吃都不踏实，好像吃的都没进肚子，而是进了鼻孔！

最甜蜜的冰激凌

哈根达斯！！！

我个人觉得，吃饭和谈恋爱是两码事，尤其在两个人还在眉来眼去的时候。好吃的地方不一定好谈，而要是你对那个男人有了别的心思，那吃什么实在不重要，反正心思不在吃上，倒是吃的环境很重要，拿刀拿叉拿筷子的吃相很重要。哈根达斯另当别论，实在是正点的冰激凌，味道好，还有各种诗情画意的名字，很合适男女调情，又不耽误美味。只是耗不起时间，若是时间久了，感觉还没找到，冰激凌都化了……

谈恋爱这事，费神费心费肚子，十个中了丘比特小箭的女人九个都会瘦（爱上大厨的不算哈）；要是失恋了，基本就跟进了纤体集中营差不多，食欲和他（她）一起跑了……

最爱吃的菜

按照顺序排：拍黄瓜，红烧肉，醋熘白菜，烧茄子……不过都有附加条件，拍黄瓜最容易，有蒜末和醋就行；红烧肉做好吃了可不容易；醋熘白菜看着简单，味道好的没几家，花家怡园的还不赖；烧茄子就是老爸做的还有香满楼的还中意……

最离不开的作料

我是“酸”性动物，吃中餐前必定先跟服务员要碟醋放面前；吃西餐，动不动就要番茄酱，为了这番茄酱还闹出过小误会。

有一次在马来西亚一家当地很有名的西餐厅吃饭，我觉得主菜的味道有点淡，就跟服务生要番茄酱，结果人家大厨顶着高白帽出来了，说：我的菜有问题吗？我吓坏了，说没问题啊，大厨说那你干吗要番茄酱，那会毁了我的菜的味道的！……后来才懂，西餐的味道是非常讲究的，每一种味道都是大厨的创意，如果随便加调味品，是对人家大厨的不尊重呢。

到底要不要化了妆再出门？

出门前到底化妆还是不化妆？花多少时间在镜子前？——这是一个简单的但细想起来很有意思的问题。和我们的美容编辑讨论选题的时候，发现就这个问题分成了截然不同的三个派系。

美容总监 Helena 是标准上海小美人，她每天早上在镜子前居然要和梳妆台上的各种瓶瓶罐罐各种颜色各种小工具“热恋”40 分钟！这个时间把我和其他编辑都镇住了——我当时就想，那我还真宁肯在被窝里多躺 30 分钟呢！ Helena 最重要的理由是享受在镜子前的这 40 分钟！自己高兴！享受着呢！——比什么都重要。

我们还有一个编辑是中间派，她可以在出租车上搞定一切。她说在香港工作的时候，每天早上在香港的地铁里看白领小姐们拿着小镜子涂口红是一景，每个人都镇定自若，口红绝不会涂到唇线外去！她的一个女友更厉害得离谱，可以一边开车一边涂睫毛膏！！（妈呀，不会出车祸吧？）

我是梳妆台上的偷懒派代表，只需要一面大的穿衣镜看今天穿的整体效果（臭美！）。梳妆台上有没有镜子都无所谓。做完护肤程序（护理还是要特认真地去做的！），涂个口红就出门了，有的时候，连口红都会忘记！睫毛、眼影、腮红、粉底、散粉、遮瑕膏等等，在我的梳妆台上一样都不少，可是，一样都懒得用！

一点都不反对像 Helena 那样细细致致地打扮再出门，只是一直都喜欢素面朝天的风格；或者有那样的本事，可以在晃晃悠悠的出租车、地铁里让自己换张更好看的脸——最想说的是，女人一张干净的脸出门也罢，一张艳丽的脸出门也罢，你要有为自己打扮的心情和心气。无论他在或者他不在，工作顺或者不顺，家里都好或者有了麻烦，你的脸是你自己的，不要怠慢了它——每天每天，无论我们 20 岁，30 岁，40 岁，50 岁，60 岁……

气质女人 123

从前人们说，要是一个女人不漂亮，而你又要夸她，就说她有“气质”。

现在很不同了，说一个女人有气质是比说她漂亮更高的赞美。可能因为是现在的女人们生活条件比以前好了很多，有太多手段可以“塑造”成美女。——在北京国贸或者上海恒隆，长得标致、打扮入时的姑娘们可以排成队，这是我一个哥们说的。他说他就好在这两个地方的星巴克“蹲点”，喝一杯咖啡，看 10 个美女，立马儿就觉得生活有了希望。

所以，大概真的是到了美女遍天下的时代了。于是，女人们不约而同地开始追求“气质”。

我觉得自己并没有资格来谈这个话题，做一个气质女人也还是我自己正在孜孜以求的目标，因为气质女人：

1. 不怕衰老，无惧年龄；可以越老越有气质，而女人永不可能越老越年轻和漂亮，尤其在 30 岁以后。(做了整容手术的除外)

2. 男女老少皆宜，人见人夸。

3. 一个有气质的女人身上是有“磁场”的，不靠性感的衣服，不靠浓艳的妆容，不靠惊艳的美貌，也一样地吸引人。

我一直很注意观察自己心目中的气质女人。发现一些共同的特点：

1．从容。生活里总有些掰不开的事，过不去的坎，但是放在你的心里，不要放在你的脸上，都挂在脸上也于事无补，还让周围的人跟着你慌乱。

2．宽容。有很多和你想的不一样的人，有很多甚至和你背道而驰的人，但是他们不一定就是错的，眼里要放得下和你不一样的人，心里要盛得下和你不一样的想法。

3．踏实。包括很多方面，看书的时候要一字一字地读；做人做事要实实在在；别像一片叶子那么浮躁，飘飘然地不知自己的方向；要像棵大树，立地有根，风雨轻易摧不垮。

这是感受最深的三点，这样说起来，气质和衣着的关系似乎很小，如果一定要扯上关系，也想到几点，和大家分享：

1．不要从衣柜里拎出一件衣服套上就出门，照照镜子吧；每天睡觉前，拿出三分钟（足够了！），想想明天穿什么衣服，第二天早上就不会那么抓狂。

2．没有十足把握不要轻易尝试薄露透、小可爱（不大适合30岁以上的女人）、波西米亚以及各种新潮的前卫的风格，得体是第一重要的，大方是气质女人着装的关键词。

3．多便宜的衣服，也要熨平了再出门；再贵的衣服，也不是炫耀的资本；丝袜有了哪怕最小的洞也要以最快的速度脱掉；衣服有了浸渍就不能再穿了，除非在浸渍上别个胸针绣朵花；鞋子是重点，用你舍得花的最多的钱，为自己买一双好鞋吧，还有，穿的时候要让它在你的脚面上干干净净。

但是，还是认为着装并不是一个气质女人的关键，外面的东西只是锦上添花，里面的分量，全靠自己积累了。

气质这件事，是最典型的由内而外，厚积薄发。

睡蔬菜

在柏悦酒店开会，顺便翻看柏悦的酒店杂志，梁文道写的一篇专栏吸引了我，题目是《关掉手机的生活才是真正的生活》，因为我从没有勇气关掉手机超过24个小时（除非飞行超过24小时），不久前又刚在微博上大骂不回短信不接电话还有动不动就关机的朋友，自己早就成了那种跟中了手机鸦片似的那一类人群，没有手机，心会慌。

但是梁老师的文章对我的启发非常大，新的一年工作刚开始的时候，得给自己的生活留点空儿。

无独有偶，在我们的杂志“态度2010”专题中的采访，上海设计师蒋琼耳的观点：**懂得留白，生活才有惊喜。**和梁文道的“关掉手机”，有相通的生活道理。

于是反省，是不是把生活都安排得太满了？原本太满的初衷也许是为了让生活更完美，但是太满的安排让生活也“忙得喘不过气”，和同事们闲聊，如何让生活“留白”，让惊喜有可能随时发生，讨论过程中发现，其实“留白”更是一种生活态度，很多大家日常都会碰到的小事，换个角度去想去处理，生活就会变个样子，惊喜并不是老天给的，是日子里你让自己松一下，生活就反馈给你的小礼物。

很多时候，我们都希望让生活更“完美”，但是有的时候，过度追求完美会让自己甚至家人都变得很累。我有个朋友曾经很焦虑地说：“现在都说‘出名要趁早’，我都快三十岁还没找到好老公也没有一个像样的事业……”，换个角度想，人生不是很短而是很长，一个人和两个人是两种不一样的快乐模式，享受当下其实也很好。

完美不是一个快乐人生的唯一标准，咱们都可以让自己偶尔偷个小懒儿开个小差儿，容忍自己会有做得不够好不够完美和失败的时候，这样自己就可以松下来，松下来的时候才会有“空白”。

好多年前我看的一部长篇小说，到今天我都记得小说中描写的忙碌的白领女主人公的周六生活叫“睡蔬菜”，就是一直睡到自然醒，然后大脑空空地发半天愣，然后去菜市场转一圈买点菜烧点饭，再然后守着DVD看几个小时的好莱坞电影或者HBO的肥皂剧……一切都不是事先精心计划的，但是总是有些不曾预料的小惊喜在周末“睡蔬菜”中发生。如果用留白的观点来看，女主人公只是让自己周末的生活完全空白，而生活中的很多滋味和色彩在空白中才有机会出现。

反正，关不掉手机，至少让自己多“睡睡蔬菜”吧！

天道酬勤

这一天是2005年中普通的一天。这一年，公司在旅游卫视做了一档电视节目。从来没有电视主持经验的我，同时面对原本的工作和全新的挑战，有些应接不暇的狼狈。

那一天，五点爬起来，六点半进化妆间，一边化妆一边背稿子。八点，开工录三期的电视节目。明明是我自己写的解说词，偏偏怎么背都背不下来，有一段简单的解说词活生生录了20遍，自己舌头都生了茧，才算勉强过关。

中午和电视组的同事一起吃盒饭，把一整盒的红烧肉都吃了，希望能补补脑子，觉得自己的脑子正处在严重缺氧的状态里。

四点出录影棚，带着一脸的粉回到编辑部，我的同事们早就习惯我盘着个让自己老5岁的发式，化着个像小猫脸一样的浓妆，继续和他们讨论杂志选题。回到小小的办公室，用M.A.C的卸妆纸擦擦脸，再涂上一层CDP保湿乳液，依然觉得被浓妆过的脸干得要裂，办公室里不大好意思用面膜，必须抹上厚厚的La Mer面霜，才觉得脸上滋润了些。坐在电脑前开始回E-mail。中间，财务总监拿着一摞报表来讨论预算，发行部的同事来问订阅和读者服务的问题……

到了七点想起来，还有一个巨大的 PPT 要做，马上开始头痛，跟大家说咱吃饭吧，我请客，在 798 的小馆大吃一顿后，回来还是得做 PPT，我的助理梦梦正在努力地把我的各种想法变成文图兼备的 PPT，搞到晚上 10 点依旧不见 PPT 的漂亮模样……

晚上 11 点，我将自己没做但是今天必须要做的事列了 4 件， 把明天一定要做的事列了 11 件，有一点绝望，我就是一本小小杂志的小小主编啊，不过兼了一个小小节目的小小主持，我怎么搞得比总理还忙？

在准备关电脑的最后一分钟看到大学同学钊在 MSN 上，钊夸我勤奋，我苦笑着说：就剩勤奋这一个优点了，钊说——天道酬勤！

要是我们还年轻，要是我们还可以做得到，就让自己勤奋一点吧。

其实，谁不喜欢轻松的自由自在的日子呢？每个人的心里都有两个小人，一个小人是贪玩的，任性的；另一个人小人是懂事的，知道克制的；谁都喜欢做前面那个小人，多美呀，和朋友聊天可以聊到早上三点，看 DVD、打电子游戏可以通宵；后面那个小人因为扛着责任，就要时时刻刻地用功和努力，可是，并不委屈啊，因为天道酬勤。

从来都相信，天上真的有一只眼，在看着我们每一个人。我妈妈在我 16 岁生日那年，给我的生日礼物是几句成语，让我终生难忘：

第一句话：种瓜得瓜，种豆得豆——你的勤奋和懒惰老天都记着呢，不要有任何的侥幸心理；第二句话：不是不报，时候未到——不要急着向老天要你的荣誉、成就和利益，即使你觉得你已经很刻苦了；好的报应和坏的报应是一样的，都需要时间。人生很长，要有耐心等待。

你快乐么？

我不知道有多少人每天晚上闭上眼睛前会问自己，你快乐么？

有个星期，我要在北京、上海、广州、深圳、香港五个城市间穿梭，其中有三个城市很近，坐两个小时火车就到了；其中有三个城市很远，坐两个小时的飞机还不一定能到……每天见很多人，说很多话，穿着很正式的小裙或者长裤，踩着高跟鞋，每天晚上开完最后一个会累到一进酒店大堂就想把高跟鞋甩了，把因为塞着我的杂志和电脑而变得很重的拎包扔了，把自己放平直接躺大堂沙发上睡了算了……

“更上一层楼”其实是很艰难很要突破自己很拧巴的一个目标，可是一定要去做还要排除万难地去做到最好，照镜子发现眼底终于有了皱纹，眼圈开始发黑，手脚经常冰凉，颈椎和腰痛得开始怀疑自己是不是月子没坐好……嗯嗯，老了老了，老了的标志是觉得有点累有点疲惫吧？

我的快乐在哪里？

时时想起我的小妞儿们，可以想到瞬间全身的骨头都酥掉，她们现在乖巧得让人心疼，只要我一摇着她们的小手给她们唱歌，她们就冲着我咯咯地笑，然后我就受宠若惊地想，她们认识我了吧？她们知道我是“妈妈”吧？……长大了一定和她们说，她们那几分钟哆哆的笑，是妈妈一个星期快乐的源泉……

ELLE 的编者话里，曾经有一期写过“快乐”：

也许你面临和我同样的问题：

压力越来越大，时间和脑子怎么都不够用，工作和家庭有点顾此失彼，家事国事天下事，事事都火烧眉毛地急……

或者，你面临和我的女友们相似的问题：

总找不到一份称心的工作，或者找到了可是离家有点远挣钱有点少老板有点不近人情……总找不到一个可心的男人，或者找到了他还有点扑朔迷离有点忽远忽近有点不确定……

也许失恋，也许失业，也许失去亲人，也许只是一件小事导致的一连串日子的不开心不顺利而笑不起来……你可能正在面临生活中的很多大小意外，就像金融危机对金融界来说是某种日积月累的爆发，对于大部分女人来说，的确更像是生活中的“意外”。

综上种种，我们还能快乐吗？我们是否还可以像小时候那样为一个洋娃娃就可以由衷地高兴很多天？还记得你上一次开怀大笑是什么时候么？已经长大的我们，是否还具备快乐的能力？

答案非常地肯定：无论我们面临什么样的困境，我们一定，一定可以继续地快乐生活。只不过我们成年之后如果想要获得更多的快乐，需要学会给自己解压，需要懂得爱是最好的解药，需要知道适时解放自己的技巧。

……

快乐，是每个人心底的一股清泉，取之不尽，用之不竭。只要你想，它永远都在；快乐，还存在我们生活里的每个角落，俯拾皆是，只要你想，你随时都可以拥有它。

每天晚上 12 点后，才有时间处理所有的 E-mail，大大小小很多封，看到眼睛涩得睁不开了还是看不完回不完……今天有一封，看了忽然有点动容，大学同学发的，说的是个关于男人女人很老的故事，结尾依然和快乐有关：

快乐不是因为拥有的多，而是因为计较的少。

瞬间释然。所以，老了又如何？

学会原谅

我小的时候，是典型的自尊心极强又争强好胜的女孩子，从小学到大学都是班干部，功课又不错，初二 14 岁的时候就加入当时在北京中学生里很有影响的《北京青年报》组织的学生记者团“学通社”，小小年纪就走出校门开眼界，到哪都是“人尖子”——因此，非常地容易“得理不饶人”。

事实上，在很多年里，在我年轻的人生处世哲学里，“原谅”两个字，一直都不在我的字典里。那个时候很容易动心动肺地为朋友间一点小事生气，觉得都是别人对不起自己，得了理干吗还要“饶人”？

我想我是到了 30 岁左右的时候，在经历了很多生活中、朋友间以及各种复杂的简单的人际关系中的分分合合、误会碰撞后，忽然悟出：一个女人要想从内心由衷地笑出来，要想真正地享受生活中的酸甜苦辣，一定要有一颗宽容的心，一定要学会原谅。

首先，要学会原谅你的朋友和亲人。越近的人，因为彼此太在意，才容易产生误会。那种误会是釜底抽薪的痛。我经历过数次，不能解释，不能辩白，外人看笑话，自己梦里都不能释怀。这个时候，唯一有帮助的是时间，时间会冲淡很多东西，会融化怨恨。有一天你会发现，是朋友，就一定还会回来。而你心里早一天忘掉那些气头上曾经说过的或者听到的话，早一天心里原谅对方或者自己，最大的受益人不是对方，而是自己，你会快乐，会释然。

其次，要学会原谅生活和工作中不讲道理或者强词夺理的人。道理每个人都懂，可是每个人的道理准则很不一样。我在谈判桌上碰到过把我气得浑身哆嗦的客户，那时觉得怎么全世界最不讲理的人让我碰上啦？！后来学会了换位思考，每当我碰到不可理喻的对手，就试着站在他的角度去想问题，很快就发现人家并不是百分之百地没道理，大家不过是在不同的立场，各司其职。让自己不站在一个对立的角度，很容易想到解决问题的办法。

最后，还要原谅生活中你碰到的那些令人恼火的人或事。比如我在大街上，莫名其妙地被陌生人撞倒过；餐厅里，被服务生用半盘菜把新裙子全染了色；外地出差，被出租车司机故意多绕了五公里才到目的地；修指甲，被技术不够熟又走了神的小姐差点掀了指盖……

绝大部分人，都不是故意要伤害我们的，要让我们不高兴不痛快的，每个人都有自己的苦衷，每个人都有失手的时候，我们自己有，别人也有，只是不凑巧，就偏偏让我们赶上了。你原谅了人家，人家也许会记你一辈子，会在心里感谢你的宽宏大量，就算你碰上的是个白眼狼，一点不领你原谅的情，你至少自己心里能挺高兴，能把这点倒霉事迅速地抛到脑后。

我信，上天有一只眼，在看着我们每个人的所言所行。如果你相信，这世上好人比坏人多得多，“坏”人也许并没有一颗坏透了的心，老天就会给你的这一生安排——更多的好人和好事出现。

我年近而立之年才懂得，原谅原来可以让一个小女孩成长为一个大女人，放弃斤斤计较才可以换来自在和快乐。希望看到这篇的文章的小朋友们，不必等到30岁才领悟这么简单的人生道理，可以从20岁，甚至更早，学会原谅。

好女人不怕折腾

这句话是在我经历了一些人生小小的但是当时我已经觉得不能承受的挫折时，一位前辈经常跟我说的。

高考，赶上“六四”那年，文科生都有一些难于启齿的痛，我也一样，和我最爱的名校失之交臂，那个时候18岁，在被窝里流眼泪。后来，我进了一所很小的大学，在这个学校里，我碰到了几个让人钦佩的好老师，结交了几个我一生都不会疏远的好朋友。

14岁到20岁，暗恋一个男人，暗恋到连他的妻子和孩子都不能恨，都一起迷。没有任何结果，只是小女孩开始长大。

20岁以后，开始恋爱，拼死去要的一个人，觉得生生世世就是他的人了，拼死得到了他，有一天发现他竟然、竟然不是你想要的那个人。两个人的世界，都是一个水晶宫殿，里面是两个人的心力和青春，有一天，你自己用手砸碎了它，砸碎自己本来最美的一个人生愿望。

工作，算是很顺利吧，毕业14年就换过两次工作。最大的“挫折”就是没有时间休假和娱乐。最幸运的是做的一直都是自己喜欢的事，碰到了几个好老板，和一群几乎可以做我兄弟姐妹一样好感情的同事。

失眠，不能理喻的痛楚，生活里每一点的不如意，都会在深夜来侵袭你，让你孤独地感受绝望和无奈。

孩子，最开始说不在意，后来说不想要，再后来说不着急，有一天忽然想做妈妈了，可是，可是，可是……

所以，很羡慕那样的女朋友：

要你的第一个男人，就是你的丈夫了，两个人都死心塌地；

一个、两个或者三个孩子的妈妈，被孩子拖累着，依旧美丽着；

不一定有多么风光的工作，可是每天可以睡得像小猪一样；

终于明白，老天是不可能把所有——美丽的容貌，聪明的头脑，可心的工作，幸福的婚姻，可爱的孩子等等都给了一个女人的，而是看你最想要的是什么。

就像我的大学同学容问我到底在两个人的世界里最想要的是什么？我毫不犹豫地说：爱情！容长叹一口气说：雪儿，那你太奢侈了，那你会吃亏的啊，那你就要坚强啊！

不是吃男人的亏，其实是吃自己的亏，我知道我想要的是一个变数太大、几乎不可掌控的东西，可是就是想要，怎么办？

虽说在贾宝玉眼里，女人是水，是最不应该被“折腾”的，万一要被“污染”了怎么办？可是，要是你已经开始被生活当做馅饼一样翻来覆去地在各种熔炉上煎烤，那就收着生活给我们的那些“挫折”吧。人生之不如意事，十之八九；但是，我们还是比很多人幸运，不必面临战争、天灾、饥馑——所以在这里写下的，不过是一个小女子的风花雪月。你也一样，不要气馁，前辈说，好女人不怕折腾。

偶尔慢调子

2010年我飞得很慌乱，曾有一段，我在北京、上海、长沙、巴黎、深圳、广州……各个城市间奔波，平均每两天半坐一次飞机，早上醒来要花一分钟认真地想一下，我今天在哪儿？

生活的节奏快得如飞机起飞的刹那，总是还来不及做好准备，脑子里懵地一下，飞机就旋进了天空。差不多所有打电话来的朋友第一句话都是“今天你在？……”，不疲惫是假的，快生活让人变得越来越没有耐心，我最近半年已经像祥林嫂一般絮絮叨叨地多次问团队里亲近的同事：“我是不是现在脾气特差？”……快生活虽然带来了高效率高成果，可是，总是有些时候，无比地怀念生活里的慢调子。

三天前的巴黎清晨，因为时差的关系，早上四点就醒来了，在酒店里回完所有的E-mail，还不到六点，就披上仔衣想着出去走一走。

清晨的巴黎，只有很少赶路的人。有不少超市餐厅门口，都有小货车在装卸新鲜的蔬菜、奶酪……我看得兴致盎然，碰到一个开杂货店的会讲英文的大叔，站在大街上和我聊天，问我：“来巴黎读书的？”我笑着告诉他：“我快四十啦！巴黎大学不收我这么老的学生呢！”大叔夸张地用两只胳膊在我身上比划着：“你的生活才开始呢，小姑娘！”

然后又很法国式地幽默地说："今天还是会下雨，享受巴黎的小雨吧，千万不要打伞，我就爱看女孩子湿漉漉地在雨里跑，记住我的店，欢迎到我这儿来避雨！"大叔死活还要送我一块奶酪，我客气地跟他说我吃不来奶酪，他简直就有点生气了，说不吃奶酪你怎么在巴黎生活，不吃奶酪你怎么能更漂亮？！…… 我只好收下，彼此说"Have a nice day"，我继续溜达……

前面就是著名福宝名店街，没有店开门，乐得一个人看橱窗。在一条白色裙子前忍不住驻足，很简单的一条白裙子，大 V 领，腰间有一个夸张的蝴蝶结，裁剪精细到几乎完美，那个没有生命的模特因为这条裙子而变得栩栩如生。抬头看了一眼店名：Valentino，怪不得！在玻璃窗前站了很久，真是美！忽然觉得自己好笑，想起来那部著名的《蒂凡尼的早餐》的电影，赫本站在 Tiffany 橱窗前的镜头……蹲下来，耐心在裙子下面小小的白色标签前寻找这条裙子的价格，2280 欧元！倒吸了一口气，有点贵啊，太贵了啊！就是一条连衣裙嘛！还有两周巴黎才打折呢，要是打五折再退税的话……小女人臭美的心思在这个橱窗前淋漓尽致。

和白裙子恋恋不舍地告别，继续前行。巴黎的橱窗真是一堂不说话的生动流行课，看得很过瘾。一路就到了 Colette，Colette 是全世界的设计师、时装编辑到巴黎必来的朝圣地，这个小店里面的书、碟、时装、化妆品，无一不是全世界最当红的设计之作。Colette 这一天的橱窗非常酷，是整套军队迷彩系列的设计，模特穿着非常性感的迷彩时装，旁边有一系列的迷彩饰品，还有一杆机关枪！（当然，估计是玩具！）

再拐弯进了康朋街，Chanel 总店就在这条街上，旁边就是 Coco 小姐的旧时公寓。想起来在家刚看过的 Coco 小姐的电影，公寓里她常坐的那个客厅里的皮沙发，我上次来采访公寓的时候，也坐过呢！ Coco 奶奶很厉害的，她设计的小外套，初看没有觉得很特别，细节之工却可圈可点，无以复制，尽管天价，永远供不应求。橱窗里的模特一如既往地优雅地高傲地看着天，心里还是很痒痒的，我的一个女朋友说，穿上 Chanel 的小外套，就是配着牛仔裤，也优雅得像个公主，而且，只要身材不变，可以从 20 岁穿到 60 岁！好吧，看起来比白裙子要更值得投资……臭美小女人继续心里打小鼓算小账。

回头往酒店走的时候，路过 Cartier 的专卖店，碰到一件奇异的事。和我面对面走来的一个小姑娘，忽然一声尖叫，在我和她之间的路面上，躺着一个戒指。她弯身捡了起来，天，是 Cartier 的三环戒指呢！我脱口而出："Cartier，Trinity！"，小姑娘以为是我的，就递给了我，我赶紧跟她比划，说戒指不是我的，我只是知道这是 Cartier 那个著名的叫 Trinity 的三环戒指。小姑娘笑了，她和我同时往四周看了看，这条小街上除了在飞驰的汽车，只有我们两个人。小姑娘开心地咧嘴乐了，跟我比划说："lucky 喔！"……也许那几分钟我们两个都在想：是昨天哪一对刚定了婚买了戒指就吵了架的男女，害得准新娘狠狠地把戒指扔在了大街上？还是哪个马虎的女孩给自己买的礼物，出来正要戴上的时候接到了一个重要的电话，从大包里拿电话的时候不小心把戒指掉在了地上？……小姑娘确认了戒指不是我的，就试着往自己手上套，结果尺寸有点大，她灵机一动，解下自己戴的一条拴着小骷髅头像的皮绳，把戒指套了上去……我们彼此说：Have a nice day，朝不同的方向开始各自的一天。

天蒙蒙亮的时候，大街上还有露珠的味道的时候，一个人披着牛仔外套无目的地乱逛的时候，心情真是不错。觉得忙碌得要飞的生活，一下子慢了下来。买不买新衣服其实无所谓，戴不戴戒指其实也不打紧，只要经常可以感受到，生活里那些琐碎的细微的打动人内心深处的东西……那就是幸福吧。

回到酒店的时候，是早上7:30。平时这个钟点，就是我勤快的时候，也是刚刚起床。想着，也许哪天在北京或者上海，也可以在这样早的清晨，带着我的小妞儿们（她们可是每天醒得好早！），出来无目的地慢调子地溜达，也许对熟悉的生活，能有很多新的发现，能感受到更多生活中的温馨和幸福。

完整与完美

在微博上看到的小寓言：大师有两位爱徒，难以决定谁做他的衣钵传人。他吩咐徒弟外出捡拾一片最完美的树叶。一个徒弟一无所获，说：怎么也挑不出一片完美的叶子。另一个徒弟也回来了，他交给师傅一片树叶，说：这片树叶虽然并不完美，但却是我能找到的最完整的叶子……最后，大师将衣钵传给了找回完整树叶的徒弟。

看到这个小故事的时候，怦然心动，一直在想那些传说中的完美是否真的存在？是否真的可以把人生每一个角色做到完美无缺？我们又是否应该苛求自己朝着完美的目标不达不休？

这一年对我来说，像踩着跷跷板过日子，生活的节奏越来越快，我却任性地坚持反调子想让自己慢下来，总是想在主编、妻子、妈妈、女儿的多角跷跷板中找到一个从容的平衡点，然而用力很久，还是摇摇晃晃地没找到，没找到又很想要，免不了焦虑。每一个人生角色在带给自己幸福和满足的同时，也需要付出很多情感和时间。情感一直都在，而时间一直不够用。

我们所接受的教育是完美结果式教育，无论过程怎样，胜者为王，因此我们很怕失败。妈妈们总是跟孩子们说：如果考不上一所好大学，就输在了起跑线上……每年到了年终，自我评定的标准是业绩如何，是赢还是输。而完整，更重视的是过程而不是结果。

也许，我们自己在做年终思考时可以换个思路：这一年我做了多少事？不在乎“做成”或者“没做成”，这一年我做了哪些事让自己的生活更有意思？而标准不是挣钱或者不挣钱——这一年我没有成功地做成一件所谓“大事”，但是我自己有了小小的成长。

这一年里，从不健身的我，终于开始和跑步机约会；从没有耐心看数字的我，在 EMBA 课程中开始学会认真地算数；向往了很多年旅行到西西里，在 2011 年梦想成真……

纠结很久终于想明白，时间是有限的，欲望是无限的，完美是将无限的欲望压进有限的时间里，打磨得无棱无角严丝合缝——这是一件不可能的事。

我必须承认，自己在很长一段时间里都以出落成一个完美女人为目标，庆幸在自己还没有那么老的时候想明白：完美只是一个美丽的谎言，有一颗追求完美的心已足够，能和生活的不完美和自己的不完美泰然处之比完美本身更重要。我更愿意做一个有着丰富阅历的女人，尝试更多新东西，经历更多失败，也许离“完美”越来越远，但仅为了那些让生命更完整的努力过程和丰富经历，一切就值得。

做美女和做淑女

谁都喜欢做美女，到哪都有人疼有人爱。不过做美女，怎么也要有 50% 的天生丽质。有那么极少数的幸运儿，有超过 50% 的天生丽质，生下来就是美人坯子，即使不做演员也是一副明星相；还有一半有五分长相的，通过后天的化妆、衣着、气质，完全可以把自己提升成一个百分百美人形象。虽说现在的整容和美容技术已经登峰造极，但是纯粹人造出来的后天美人，还是多少有一些牵强和机械，看美人，不要说男人，就是女人，也喜欢看那种浑然天成的。

我二十几岁的时候曾经在嘉禾电影公司工作过四年多。有一次陪公司的一个香港导演到北京的演艺学校选演员，他信誓旦旦要发掘一个 18 岁的林青霞或者关之琳，导演年轻的时候在广告公司拍摄广告，见过 20 岁左右的小林和小关，那种清纯和一尘不染的美丽，那种不得不感慨造物主的天作之美的惊艳，他说他当时耳朵里就没来由地响起了音乐。

香港导演的话让我印象深刻，以后很多年，当我形容一个女孩非常美丽时，总是说“能让你耳朵里瞬间响起音乐”。

他说起的这两个人，后来赶巧在工作中我都遇到过。见到林青霞那一年，她三十出头，在北京贵宾楼酒店的大堂，那一刻我忽然明白了“篷筚生辉”的意思。她本人的美丽超越我之前看到过的她的所有银幕形象和照片；见到关之琳，是她在北京拍摄《大腕》时，几近四十，她来给我们拍摄一组图片，素面朝天，脸上光滑如初，一丝皱纹一个斑点没有，轮廓极好，眼睛大得摄影师开玩笑说“镜头里半张脸都是眼睛”。当时就忍不住就感慨：天，那她 18 岁时得美成什么样？

当然，这种美丽也很残酷，再好的保养，也不可能维持一生。对美人来说，时间更残酷。所以，大概更多的女人愿意做淑女。从 18 岁到 88 岁，你可以淑女一生。做淑女和做美女很不同的一点是，人们判断一个美女几乎只看一个女人的外表，淑女则是一个女人内心和外表的完美结合。淑女不一定美丽，甚至长得和漂亮没关系，但是你会觉得和淑女相处很舒服。所有的男人都爱美女，当一个美女和一个不漂亮的淑女摆在男人面前，也许很多男人会选择美女，但是所有男人都会尊重淑女。

把自己修炼成一个淑女比修炼成一个美女要做的功课多得多。要有丰富的知识，足够的自信，宽容的内心和很好的修养；要柔而不娇，坚而不厉。

很喜欢宋庆龄女士，她年轻的时候更多人说她是个美女，后来，全世界的人都说她是淑女，她内心的强大和广博的爱心给她的美丽赋予了更多新的内涵。

如果你本来就是一个美女，那恭喜你，再努努力你可以做一个一生不怕衰老的淑女；如果你天生的容貌不尽完美，也恭喜你，你给了自己修炼成一个淑女的最好理由。

走一程，痛一路

2003 年，我在一次去欧洲出长差之前，得了带状疱疹。

在出发前十天，我的右腿忽然起了一些小红点，又痒又痛。开始以为是皮肤过敏，没在意，后来越来越痛，去看了医生。医生很快确诊，我得的病叫“带状疱疹”，一般小孩和老人的发病率高，是身体免疫系统出了问题，体内毒素病发而致。医生说，没大碍，在家静养，吃药两到三周，就会好，但是这个病最大的特点就是痛。

我很快就体验到了，不仅右腿，从右太阳穴到右侧牙齿、右肩，总之所有右边的零件都开始莫名其妙地痛。我对止痛药天生过敏，所以，只能扛着。

我对医生说，一周后，我要出差，去法国南部和巴黎，我没有选择，必须去；还有，因为要出长差，我现在也休息不了，您给想点辙儿吧！

那个皮肤科医生被我吓到了，他说，没有人得了“疱疹”可以不休息，因为疼！！而且如果你不在家老实休息，治疗时间会延长很多，你在痊愈之前更不可能坐长途飞机，不可能！我坚持和医生讨价还价，这个时候我知道了医生姓兰，兰大夫开始记住了我这个不听话的病人。他尝试帮我开一些不同的药方，安排我一天去打两次针。可是，病情并没有好转。

去法国的前一天，我去医院找兰大夫，他一边叹气，一边帮我准备出门的药，非常细致地嘱咐我要怎么吃，以及不能吃什么东西等等。最后他说：从一个医生的角度讲，我坚决不同意你去，我不知道这次出差对你有多么重要的意义，但是对你的病很不利，是你的倔强打动了我，好好吃药，有问题了一定随时打电话给我！

那次出差是法国品牌 Biotherm 安排的中国媒体之旅，先去南部的工厂参观，然后到巴黎，结束后我打算自己再在巴黎多停留几天，正好赶上巴黎时装周——我太想去看了！

那一路，我不敢怠慢我的"疱疹"，除了按时大把吃各种药片，不敢吃一点海鲜或刺激性食品。南部是法餐圣地，但我一天两顿永远在点意大利面，看着别人的海鲜，馋死也不敢吃一口。后来在很长一段时间里，我一听意大利面就反胃。步行 20 分钟，基本是我可以承受疼痛的极限，也还好，20 分钟就可以歇一下。那一次，关于圣特罗佩、摩纳哥所有美丽的回忆，都伴着一点点的疼痛。

到了巴黎，奇迹发生了，疱疹开始明显好转，我依然坚持只吃汉堡或者意大利面，当然还有药片。

两周后，我活蹦乱跳地飞回北京，找兰大夫复查。他比我还高兴，说终于再一次证实，人的毅力可以战胜疾病。

因为这次"疱疹"，我和兰大夫成为朋友；也因为这次经历，从此我不再"迷信"医生的话。病魔是很可怕，但是每个人自身的力量不可小看，毅力和意志，有时比什么灵丹妙药，都管用。

这张照片是疱疹之旅的纪念照片之一。多年后再看，依然为自己当年的勇敢和意志自豪。笑容，是发自内心的。

| 2003 年　法国圣特罗佩 |

旅行中，喜欢在废墟中行走，就好像徜徉在历史中。
现世中的小女人，在千年古风中穿越。

| 2002 年　古罗马圆形竞技场 |

CHAPTER 4

做一个有慧根的女子

我自己一直都觉得自己是个很笨的人。

多年来，发现觉得自己笨其实是个优势，肯将“笨”字扣在自己脑袋上的人至少认同大部分人比自己聪明，因此愿意虚心向大部分人求教。而这个过程让自己受益匪浅。

这世上有很多简单的道理，在没经历没吃过亏的时候偏偏就是不懂。

我虽然愚笨，却是个有福气的人。在我成长的过程中，总是可以遇见愿意分享、并且愿意耐心分享的前辈。从他们身上，我事半功倍地悟出人生很多大大小小的道理。

佛家中的“慧根”，指的是心灵的悟性。谁都喜欢一点就透的悟性高的人，而悟性这东西，是读书和读生活中修来的。

时下流行各种“穿越”，其实，并没有一世比现世更美好。即使特别忙会因为一些有意义的事而不抱怨，即使特别累会因为有人在等你回家而欣慰，即使失败会因为相信下一站柳暗花明而不泄气，即使失去会因为相信缘分而珍惜。既享受岁月美好，也享受岁月蹉跎。那些欢乐和烦恼在百年之后，正是我们穿越今生最好的印迹。

这个部分的小文章，都是些情绪上的文字，做一个有慧根的女人也是我的目标，希望这些散落的心情记录，可以让我们感受并享受今生的美好。

上图 2009年 瑞士琉森

下图 2010年 捷克布拉格

小木匠的快乐

因为搬家，收拾出很多陈年的东西，其中一件是大概20年前杨惠姗送我的一件琉璃工房早期作品，是中国古代的“四不像”。那个时候我们刚认识不久，年龄差得挺多，可是一见如故，惠姗说我在她心里就是典型的“四不像”——看着柔弱，可比谁都倔强；瘦得一阵风就能吹走，偏偏喜欢当姐姐照顾别人；第一次见到我的时候很迷惑，不像个职业女人，也不像在家做太太的……

而我当时印象最深的是，惠姗说那个“四不像”是她“亲手”做的，我当时想，怎么可能？杨惠姗？——昔日的金马、亚太影后？一个明星？

几年后，琉璃工房在上海建了工厂，我有一次到上海出差，张毅大哥特意开了车去接我到郊外的车间里参观。我走进车间的时候，根本没认出哪个是惠姗。她和所有的工人一样，穿着粗布的工作服，戴着大口罩，用一把很精细的刻刀在雕琢一件未完成的作品——那个情景让我终生难忘，我无论如何不能把眼前的这个“工匠”杨惠姗和当年风华绝代的“明星”杨惠姗重叠在一起……

那天惠姗对我说：之所以当年放弃风光无限的演艺生涯而专心于琉璃创作，很重要的原因之一是因为发现了做一个“木匠”的快乐（当然，另外一个重要的原因是爱情，她和张毅让人唏嘘的爱情）。惠姗说：你看，小木匠从学徒工到一个熟手，到做了人家的师傅，可能是 5 年、10 年甚至一生的时间，但是，他的作品越来越好，他开始有自己的风格和工艺，他每年每月甚至每天都可以看到自己的进步，这是很多行业的人不能拥有的快乐。

杨惠姗说 ：“小木匠成为大木匠是因为他的执著和专心。”

那个时候我跟惠姗说，要是有一天可以歇下来了，很想去她那里做一个月的小学徒，就像上大学的时候去做暑期工。当时惠姗说，那不容易呀，那要耐得住寂寞，虽然一个小木匠的快乐，可能比我们想象的要大得多。

无锁

《手机》是部好看的电视剧。因为太忙，总是赶不上电视播出的时间，就买了碟,看完后,很唏嘘。故事经常提到两个字:“信任”——人与人之间，无论是亲人之间朋友之间同事之间情人之间，真的有信任危机了么?

正好前几天跟同事聊起另一个和信任有关的生活小问题,有关“锁”:办公室的抽屉要不要上锁?家里的抽屉有没有必要上锁?

我生活在一个无锁的家庭，有一个无锁的童年和少年，也因此有了无锁人生观。

从我记事起，家里除了大门外就没有地方再有锁。所有的柜子都可以随手打开，爸爸妈妈卧室的抽屉曾是我觉得最神秘的一个角落，一样没有锁，我总是喜欢趁爸妈不在的时候偷偷拉开抽屉翻一翻，其实除了户口本，一些零钱，爸爸的笔记本，并没有其他。最小的时候，家里的主要家具都是爸爸和叔叔们自己打的，就没有安锁，后来，家里换家具了，从家具城买来的新家具通常都配好锁和钥匙，那些柜子上的钥匙就一直挂在柜子的钥匙孔上,一挂就是很多年。再后来,搬进新房子的时候,每个屋子甚至包括厕所，都是配了锁和钥匙的，每次都是搬家后第一件事把所有钥匙拔下来，集中一起扔到一个经常被全家人都再也想不起的角落……

大学宿舍，没有用锁，小秘密就在自己的枕头下面；上班了，和同事一起坐大办公室的时候从不锁自己的抽屉，自己一个人坐进小办公室的时候还是没有锁。就是自己随身的包，我也喜欢不带拉链的大包，很多包上的锁，我更喜欢它只是个好看的装饰。等我自己有了小家，小家里依然没有一把锁。

不仅不喜欢锁，也特别不喜欢密码，可是，却发现密码无处不在：银行卡要密码，电脑要密码，行李箱有密码，工资单有密码，甚至连手机，同事说也最好设个密码。不喜欢的东西就不入脑子，总是记错，于是我经常把密码设置成“123456”或者“888888”，不仅被朋友数落，有一次电脑干脆自动提醒：请您更改设置的密码，因为“容易辨识”。

在家里或办公室上锁，也许是为了“保险”，为了不让孩子看到不该看的东西（家里有多少东西是不能让自己孩子看到的？），为了家里和办公室的东西不丢……可是，想过么，那把锁防的是谁？自己的家人、阿姨、同事？每日里朝夕相处的最近的人需要这样防么？

每当看到办公室里有同事上趟厕所的工夫都不忘把自己抽屉“啪哒”锁上，然后攥着钥匙走向洗手间的，或是家里四处都是锁不说，还干脆搬个保险柜回家的，就忍不住撇嘴——“至于嘛！”然后我就特小心眼地想：肯定是个要么疑心特重要么有点自私反正不是那么大大咧咧的主儿……嘿嘿。

我的无锁人生观被朋友骂作“轻信”，总有朋友说“害人之心不可有，防人之心不可无”，我的没有锁链的大包也丢过不止一次钱包……依然固执地坚持，锁这东西，锁的不仅是你想锁的东西，也锁住了自己内心对外面世界的信任。如果无锁，大不了就是吃点亏吧，人生这么长，偶尔被人偷被人骗被人误解，又能怎样？而如果你信任生活里和自己最亲近的家人和同事，信任朋友，信任合作伙伴，信任……生活真的很容易阳光明媚。

无锁只是相对的，我们的生活里几乎不可能没有锁没有密码，只是希望自己和大部分人都能拥有一种自己内心对外界信任的阳光的生活态度。相对于处心积虑防着别人明哲保身的人生态度（当然也没有错），我更赞成坦荡大方相信别人不计较的人生态度。正是因为清楚地知道，我们不是天天生活在阳光下，才需要保持更多的阳光心态。

这“信”与“不信”，其实与别人无关，都是自己内心深处的心思。世上很多事情就是这样，你信，它就有；你不信，它就真的没有。人与人之间也是这样，你先信了别人，别人信任你的概率也最高；你不信他人，你得到的信任也最少。

珍惜

2010 年 4 月，是全球多灾多难的一个月，青海玉树地震、西南旱灾，冰岛火山爆发……我正好在巴黎出差，因为火山灰蔓延欧洲上空，预测火山灰会卷进飞机而引起引擎损坏，所以欧洲多数机场关闭。巴黎机场有史以来第一次关闭五天，我和几十万人，滞留巴黎。

唐山大地震那年，我六岁，有过“滞留”北京临时地震棚的记忆，但是六岁的孩子还不懂得忧虑，后来我对地震棚的记忆竟是美好和有趣的……这是我人生第二次被天灾“滞留”，这一次，离家乡万里之遥，我满怀牵挂：孩子、家庭、工作……

直到今天，我对 1976 年那个夏天地震棚的记忆都很美好。和我家在一个大棚子里临时床铺紧紧相连的，是个漂亮的舞蹈老师，她每天教我跳舞，在地震棚狭小的空间里走舞步的镜头让我终生难忘，很多年后我还经常会想起她长长的辫子随着嗓子里哼出的节奏甩来甩去的样子；那一年我妹妹两岁，我在地震棚里学会了在小水盆里给妹妹洗袜子，并且总是拎着湿漉漉洗干净的小袜子四处炫耀：看我会给妹妹洗袜子啦……

巴黎是很有魅力的城市，只是，当你不知道哪一天能回家、在异乡无奈等待的时候，那个城市的繁华和你无关。五天里，心情如五味杂陈，当打了航空公司电话说恐怕也许要等到五一后才通航有位的时候，简直绝望；当听朋友说，要想办法从巴黎南下转罗马飞中东，再到香港再转北京的时候，甚至动了心要去周折；当巴黎太阳暖洋洋，春天是那么美地扑面而来时，也窃喜就算是老天安排的一次小假吧，为什么不享受一下巴黎呢……而后很快明白，休假的悠闲和放纵是因为知道哪一天是句号，这样在巴黎省略号般的滞留，更多剩下的是漂泊的无奈了。

因为滞留，免不了会焦虑，焦虑后是感慨，感慨后是反省……在那样的心境下，重新思考人生很多事，不是都有答案，但是至少有一些感触，发自内心：

一定真诚地认真地度过人生每一天。不要再轻易抱怨人生苦短，其实所有美丽的风景都在自己的心里和手上，与其抱怨明天不是那么如意，不如把今天的手头事做好。而美好的人生不需要有多富足多成功，所谓美好人生，只是最简单淳朴的小幸福。

一定与人为善，这一生中我们碰到的人，爱人、家人、同事、朋友，工作上的合作伙伴，甚至素不相识的路人，都是难得的缘分，即使有矛盾、恩怨、不和，不过都是那一段段缘分中要经历的过程，宽容待人就是宽容待己。

总之，就是“珍惜”——珍惜我们现在生活中已经拥有的一切，珍惜人生每一段旅程，珍惜这一生我们遇到的每一个人。

其实，珍惜，是挺不容易的事。

珍惜我们这一生碰到的每一个人——而这一生中令我们伤心难过的

人，不是陌路，不是敌人，只有爱人、亲人和朋友才真的可以伤到我们内心深处。

不再轻易抱怨人生苦短。这个月一直在无奈地飞行中：北京—上海—北京—三亚—北京—上海—北京—香港—北京—上海……每三天坐一次飞机，每周在三个城市度过。我们编辑部有一个很重要的年度选题会，会议日期是在两个月前就定的，其间又因为各种原因反复修改日期，在开会的前一天，女儿们双双感冒，老公也病倒，阿姨辞职……老二嗓子已说不出话，哭声都是哑的……我犹豫很久要不要跟大伙说"对不住，我女儿病了，咱再换个开会时间？"但是还是没说出口，知道后面的时间编辑们都开始各自出差，再后面我们又有大活动要做，再往后就来不及了……拉行李出门去机场的时候，那一种纠结叫"心如刀绞"，你真的不知道，是要顾及家里 3 个人还是要顾及办公室里的 30 个人？

因为家里人都病倒，心就乱了，心一乱，好像日子就乱了……先是丢了手机，再是赶早班机飞香港碰到一个糊涂出租司机走错路而误了飞机，在机场改票，等位子，托运的时候又差点把行李给丢了……很抓狂。——也许，这一段人生的旅程就是抓狂吧，也得珍惜。

相信每个在职妈妈都想让母亲和职员的责任两全，我也非常、非常、非常地想两全。而我能做到的，只能是当工作结束，赶可以爬得起的最早班机飞回到女儿身边，满身疲惫可是满心欢喜地和她们玩些时候，等她们睡了再回电脑前；而我能做到的，只能是跟团队说"我当妈啦"，大家多担待我要多一些时间去陪我的女儿长大……而其实明白，无论是做母亲的责任还是做主编的责任，别人可以帮忙却无法替代，那都是自己的责任。

前辈说一个对工作和家庭不负责任的人是可耻的，人生最基本最重要的两个责任是家庭责任和工作责任，很想问前辈，两个责任一起扛真的是很重的一个担子，人生就是如此的么？可以想象前辈的答案：孩子，人生之不如意事十之八九，你应该感恩自己的幸运，同时拥有一份不错的工作和一对可爱的小女儿——所以，珍惜吧。

童话

我总是被女友嘲笑：小姐，还生活在童话里呢吧？！

童话世界观的重点表现如下：

童话爱情观

不仅相信世上确实有纯粹的爱情，还相信必有一种爱情可以生生死死，一直到老。不管怎样世风日下，男盗女娼，相信还是有更多的人，可以为了爱放弃一切。

迷信第六感，不管它有道理还是没道理；迷信缘分，你和你的他，必是上天安排，前世就认识，所以今生再相见的时候，有说不完的话，诉不尽的衷肠，可以手牵手一起走那么远的路……直到有一天，你觉得他的右手熟悉得就像你的左手，你还是欣喜，为了可以共同拥有的那种温暖……

童话人际观

吃亏是福。吃亏真的是福气，肯吃亏的人，最终都会占了大便宜。所以，最好宽容和与人为善，记得得帮人处，且帮人——这样最终帮到的，一定是自己。小时候，妈妈总说“能吃得眼前亏的人，前面的路更宽”，好多人吃不得一点亏，更吃不得眼前亏，要面子，要逞强，大小事都要说法要每一分利益得失都算清楚，无理要争三分，有理更要占天下……其实，不懂得吃亏是福的人，才会错过更大的福气。

不要那么计较一时的得失，自己小心眼的时候，才会算计别人，而难过的还是自己。不要轻易地说出朋友的不是，谁都有糊涂的时候，谁都有在利益面前昏头的时候，人之常情，没有什么不可以原谅的。何况，Time heals all.（时间治愈一切）。

童话时尚观

时尚不是有钱人的专利，也不是只有买得起奢侈品才算是时尚中人。时尚有的时候是一个潮流，有的时候是一种搭配技巧，有的时候，就是一个爱漂亮追求细节的心气儿。有了这个心气儿，你就可以拥有自己的style，有自己的气质，让自己与众不同。

童话生活观

名很重要，利很重要，但什么都比不上我们内心的快乐重要。所以，一定要取舍的时候，把自己内心的快乐排第一。这样，即使一时失去一些东西，我们也不后悔。

太阳每天都是新的，雨过了天就晴，摔了跟头爬起来还是条好汉，真的没有过不去的门槛——你笑对生活，生活就笑着对你。

每个人都可以成为天使，只要你有一颗天使的心；而这世上真的还有童话，只要你信，它就在！

最想要的东西

不知道这年头说“理想”是不是有点矫情，但是最近真真切切地觉得，过个有意思有劲头的人生，可以没大房子没“鸽子蛋”没钱没势力没……就是不能没了理想。

做杂志，并不是我少年时代的理想，做传媒十年，觉得这个行业和其他行业的重要区别是，做媒体人，得更加地有社会责任感，因为这一群人做的文字拍的图片宣传的观点，比一个人对身边的朋友的影响力要大得多。

也许会有朋友说，你什么都有了，才来这么高调地谈理想……换一个角度想自己会更舒服，当我们什么都没有的时候，更需要理想的支持，而有了理想，才更有可能得到你想要的东西。

小时候常被老师要求写题为《我的理想》的作文，长大后却很少有机会再提“理想”。于丹在《百家讲坛》中曾经有一堂课抛出这样的问题：大家都忙忙碌碌——买越来越大的房子，换越来越好的车子，背越来越贵的包，做越来越高的职位……有没有空儿问问自己的内心，这些是我们的理想么？这些能够让我们的内心充实满足和快乐么？

有的时候担心，在我们的物质生活正在经历突飞猛进地从不错到好到更好更富裕过程中，名利两个字被捧到了前所未有的高高的位置，总有声音在用各种明朗或者隐讳的方式在说：“你得挣钱才能过上好日子，你得挣好多好多钱才能过上真正的好日子……”

我在微博上曾经讲过身边一对真实的年轻人恋爱的故事，女孩子就真的因为男孩子买不起房而放弃了那段爱情……看了后面的留言更揪心，房子是大事，可是大得过两个人萍水相逢的相知相爱的缘分么？更担心年轻人为了一套房子的利益，放弃太多本来人生中更值得珍惜的……

名和利，都不是坏东西，然而扪心自问，是我们内心最想要的东西么？

理想的问题也难住了自己，认真想了自己目前最希望实现的三点人生愿望，好像都不是大理想，却真的愿意自己朝着这样的方向去努力：

1. 家人都平安、健康、快乐。

2. 做自己想做的事，做事的过程中有机会不断地学习新东西。

3. 帮助有能力帮助的人，让自己的人生更有成就感。

这三点和名利有关，但都不是名利。

相信大部分朋友内心最想要的，都是类似这样的小小的实在的生活愿望，不是要挣到多少钱要做成多大的事业，更不是要把所有的好东西拥有在身拥怀在家，其实，就像一个人不能指望所有人都认可你夸奖你一样，一个人即使再富有再有名气，也会有自己买不起的或得不到的东西，也会有很多的人生遗憾。

所以，当你知道自己最想要的不是名利时，就不会在人生的名利场里为了名利放弃良知，放弃亲情爱情和友情，放弃人生的快乐。

没有什么舍不得的

都知道“舍得”这个词要分开想才想得通——有“舍”才有“得”。可是人都是这样,“得”的时候乐不可支,“舍”的时候千刀万剐般的难受。

我留了20年的长发，一直都哭着喊着要换一个发型。从想到说磨叽了一年，从说到做用了两年——想来都觉得好笑，我的杂志六年里改版不止五次，总统那么高的位置，四年也就要换个人，一个人改个发型竟这么难。

那天，发型师一边剪着我的长发一边问我：要不要将剪下来的头发留下来啊？我说不要，没有什么舍不得的。

然后发型师说了一段让我难忘的话：“你看，你放弃了那些长发，它们跟了你很多年，心里会难过。但是你学会了放弃，你就有机会得到一个新的发型，以及换了发型之后的好心情。人生是需要这样不断给自己惊喜的。”

有很多时候，我们都为已经拥有的而满足，并没有错，因为中国古人早说过“知足者常乐”。但是当你有了新的追求的时候，你面临的第一件事就是放弃以前的成绩。我的好朋友玉，最早在青岛电视台做主持人，后来到了中央电视台新闻部做导演，拍摄的专题纪录片得了无数中外奖项——她放弃了幕前的风光，得到了幕后的发展；再后来她迷上了电影，并且自筹资金拍摄的处女作就在国外电影节上得了一个奖项，第二个电影对她个人来说代价更高，但是又帮她赢得了国内外的若干奖项。背后的泪水和艰辛，大家都很少再提，人们看到的是一个年轻的有才华的并且还很漂亮的年轻女导演在冉冉升起。玉当年放弃了一个国家电视台的优越条件，成了一个拍电影的个体户，按照世俗的眼光，无论是经济上还是名声上，一个个体电影导演的日子一定没有一个中央电视台黄金栏目导演的日子“滋润”，但是她喜欢，她做到了“不断给自己惊喜”——尽管那个过程伤痕累累。

我们已经拥有的一切都可能成为我们懒惰的理由，所以在趁我们年轻的时候要常常找机会对自己说：没有什么舍不得的。

人生最有福气的五件事

人这一辈子，有福气的事好多，懂得惜福，很容易快乐和满足。

福气一：有缘分和所爱的人一起生活。

缘分可遇不可求，有缘和相爱的人过平常小日子，看着彼此慢慢变老，老到走不动甚至一身病的时候，他还可以陪你一起去医院化验治疗，还可以一起说说话吹吹风，实在是人生一大福气。

福气二：有能力帮助需要帮助的人。

助人为乐是小时候被爸爸妈妈教育之初的人生道理，长大了才明白，给予的快乐，远比得到大得多。成人之后，觉得那个叫做“成就感”的感觉很好，慢慢体验到每一次感受到“成就感”的时候不是靠给自己贴金加分，而是帮助和提携其他人才能获得。

福气三：有好友惦记。

朋友是人生最大的财富。一路上有良师益友相伴，有人倾诉，有人帮忙，有人开解，有人牵挂，大风大浪，有人牵着手一起过；走过来，众朋友一笑解千愁。

福气四：有机会走天下看世界

开了眼界，才知道自己是渺小的；走的路多，才知道碰到的困难是微不足道的。大自然非常奇妙，虽然不会说话，不可预知的一个小小角落，总是可以给人丰富的启迪。

福气五：有运气做妈妈

曾经在很多年里，认为今生不做母亲不会有什么遗憾。感谢上苍，赐给我一对小女儿，语言无法形容，拥她们在怀、陪她们长大的知足和快乐，是世间任何事业的风光、财富的积累、青春的不朽都无以达到的知足和快乐。

如何让日子有滋味

李银河老师说始终不能忘怀她的一位学哲学的朋友在20多年前曾经说过的一句话：中国人有一种享受上的无能。我们活得没滋没味，不知道享受有趣的东西，也创造不出来真正有趣的东西。

这句话不仅让我也“始终不能忘怀”，还非常地耿耿于怀。凭什么中国人就没本事让日子有滋有味？

看到这段话的时候，我正在有滋有味地倒腾我家的杯子。

早两年我就立志要让自己家的杯子像最劲儿劲儿的餐厅一样，每一个杯子都不一样，每一个都有故事。还专门从仿古家具市场淘来一个古色古香的柜子，就放杯子用，每一个来家里喝水喝茶喝酒喝咖啡的朋友都对家里的杯子赞不绝口。其实我做的就是绕北京绕世界地找好看的好玩的小杯子，然后把它们裹上几层软纸背回家。

另一件我觉得特有滋味的事是和他一起漫无目的地溜达。从前管谈恋爱叫“轧马路”，就是说两个人牵着手没完没了地溜达，感情就这样“溜达”出来了。溜达基本上不需要什么费用，除了累的时候买瓶喝的。10年前和10年后，我最喜欢和他在一起的方式之一，都还是手拉手地“溜达”。我的父母都年过六旬，两个人已经坚持每天“溜达”几十年，恩爱如初。所以——

1. 不一定只有“贵”才是享受，享受有的时候甚至和金钱无关，和心气有关，你有心享受生活，生活自然给你享受的机会和理由。

2. 不一定想要的都能得到，但是已经得到的一定要珍惜。

小到一件衣服，一本书，得到了你就要好好穿它，好好读它；大到一段感情，一个人，幸福很多时候是先给懂得珍惜的人的。

3. 不一定做的事都是你最喜欢做的，但是学会在工作里（即使是枯燥的工作里）找到乐趣是一种很有用的能力，是会让你的八小时变得有滋味的重要条件。

4. 不一定童趣只属于孩子，天真是每个成人最好拥有的品质，有时像孩子一样因调皮而犯错，因好奇而闯祸，因贪玩而懒惰，都是可以原谅的。

5. 不一定女人老了日子也跟着衰老了，生活非常公平，给予你阅历的同时给予你皱纹，给予你幸福的同时给予你眼泪——都是成长的代价。

6. 不一定周而复始的日子就是无味的，情趣在你留意或者不留意的任何一个角落都有；生活处处有惊喜，日子随时都在等着变成段子。

生活大概就是一席宴吧，这桌菜有没有滋味全在大厨的手艺里，鱼翅鲍鱼有可能无味，醋熘白菜和麻婆豆腐也可以很好吃。只是你有了席席品山珍的能力时，别忘了给自己找回第一次吃龙虾时的激动；你若是只能顿顿吃家常菜，千万别抱怨，好味道依然在其中。山珍海味和粗茶淡饭对“滋味”而言，说到底，没分别。

四 季

我对古典音乐的了解程度非常浅薄，就像我在厨房里一样，经常会手足无措。所以我很少去音乐厅，觉得自己不懂，听不出所以然，再丢了人。

我第一次听维瓦尔第的《四季》，是在维也纳旧皇宫的台阶上，那天下着蒙蒙小雨，有几个街头艺人，打扮还是半个世纪前宫廷乐师的模样，齐整整地站成一排，自得其乐地拉着小提琴，当时我并不知道他们拉的是《四季》，只是觉得此情此景和维也纳真是般配极了，连我这个不懂音乐的人都忍不住要驻足听一会儿。

第二次听《四季》，是在巴黎雨果广场的长廊里，六个年轻人，牛仔裤，随意的T恤衫，小花布裙，被很多同样穿着随意的游人围着，忘情地在露天里拉着琴，我清楚地记得当时身边的男朋友（现在的先生）一声惊叹：天啊，《四季》，他们拉得真好！他是懂一点古典音乐的，我也因此了解了维瓦尔第、《四季》以及巴罗克协奏曲。但是，这些都不是最重要的，重要的是我们站在几百年的廊子里，看着几个年轻人演奏着几百年前的曲子，真的被感动，六个年轻人的投入和认真程度让你不觉得他们是在卖艺，虽然前面放着一个希望游客慷慨解囊的小袋子。也许真诚是一种潜在的能量，我觉得自己真的听懂了那些音符要讲的故事。也许是音乐本身的魅力，也许是人与人之间本性美好的善良的沟通欲望，我后来再去巴黎，总是会到雨果广场再转一圈，再去听一遍《四季》，觉得那六个年轻人就像是自己在异乡的朋友。

后来，有个偶然的机会被朋友拉去音乐厅听爱乐乐团的音乐会，那天下半场的曲目是《四季》，当熟悉的旋律响起，我全部的思绪瞬间回到巴黎雨果广场。音乐厅的音响设备，爱乐的专业水准，都不能和那个街头的演奏小组相提并论，我穿着漂亮的裙子坐在音乐厅里优雅地“欣赏”音乐，但是，心头的全部感动依然是来源于那个广场的午后，黄昏，那些回荡在长廊中的音符……

所以，我们被打动的时候，心里真正有共鸣的时候，经常不是在那些很正式、很职业的场合，经常是在我们自己也不是很正式、很职业的状态。

所以，也许人只有在放松的时候，才会离真诚更近一点。

什么时候不能哭

有一段时间总在博客上做“知心姐姐”，挺有成就感的，工作、爱情、人际关系，问什么的都有。大部分问题我也不知道正确的答案是什么，但是有机会说跟有机会听，总是缘分。

其实，每个女孩或者女人面临的问题，都有很大的相似之处，谁都有化解不开的时候。但是，对女人来说，有些时候，真的不能哭。

她说她在外面遇人不淑，受了坏人欺负，哭了一个月。不要哭，不幸不是眼泪可以挽回的，一次不代表一生，更不会永远遇到坏人。只是下一次，让自己先擦亮眼睛。

她一往情深，可是再也留不住他了——别在他的面前哭。男人女人爱和不爱的时候都一样，谁用情深谁是输家，愿赌就服输吧，让他最后看到的是你的笑容，他最终记住的也是你的笑容。

被老板不客气地破口大骂——一定不要在办公室哭。你是一个职业的打工者，要知道，老板永远不会同情你的眼泪。要是有出息就老老实实回到你的座位，继续做你该做的事，天道酬勤，你的努力谁都会看到，只是时间问题。

出差或者换个国家去读书，换个城市去工作，人在他乡的时候，很容易脆弱，也很容易掉泪，因为觉得什么都不那么亲了，什么都是陌生的——同样只是时间问题，你要是肯接纳，你会开始享受新的风景、新的朋友和新的生活。天涯何处无芳草，把眼泪收起来吧。

可怜天下父母心——如果你过了 18 岁，最好不要在他们面前落泪，生活中的一切艰难，到了你自己该承担的时候了，你的眼泪会让两鬓开始斑白的双亲肺腑揪心。

都说男儿有泪不轻弹，社会在流泪这方面给女人很大的宽容——喜欢哭就哭吧！所以，很多时候，我们纵容了自己的眼泪。喜欢北京话里一个词——“扛着”，有的时候，我们需要“扛”一下我们的眼泪，让自己一点一点地，坚强起来。不一定要成为什么女强人，但是坚强是每个人本来就该有的素质，是每个人心中垫底的一块硬石头，任谁也踩不坏它……

每个人都需要一个梦想

现在，人们都不大谈梦想了。

经济飞速地发展，让现实足够五彩缤纷，而过度的五彩缤纷，又让人们变得越来越现实。

我不仅是一个有梦想的人（无论是职业梦想、爱情梦想还是生活梦想），还是个特别在意梦想的人。

三年前的巴黎，去看 Dior 60 周年高级订制大秀。坐在 Dior 高级时装秀场的那一刻，我忽然发现，梦想不是空洞的。

在我这个行业，有着很多貌似浮华和虚幻的美丽符号，所以有的时候，会被人斥责“虚荣”、“自恋”等等，因此你就会重新思考自己的职业价值。

在 Dior 轰动全球时装界的 60 周年巴黎凡尔赛宫高级时装秀上，John Galliano 的 46 套华服无一让人失望，无论是创意非凡的设计，还是精细到极致的手工，都让人叹为观止，一点不夸张地说，每一个模特看起来都是皇后或者公主。那一刻，“梦想照进现实”，我坐在那里可以清晰地感觉到：时装，不仅是“衣服”，不仅是艺术，不仅是设计，还是一种能量。对于一个做时装杂志的编辑来说，你可以从这样的秀场中，感受到荣耀、自豪和力量。

我在 *iLOOK* 的时候，曾经面试过一个想做编辑的女孩子，印象深刻。

她非常不客气地举着杂志说：你看看你们都做了些什么？虚荣！肤浅！整本都是 logo！你要告诉中国老百姓什么？你知道你们介绍的一个包是我们家乡一个孩子两年的学费吗？这些名牌有什么了不起？……

我安静地听她“控诉”完所有的时装杂志，然后问她：

你可不可以给我讲几个你痛恨的这些没什么了不起的名牌的品牌历史、设计师、设计理念以及文化背景？

姑娘哑然。她说她只是恨这些 logo，并不关心这些 logo 的历史。

后来姑娘和我聊，她来自西南一个小城市，她是有梦想的，她通过自己的努力考进了自己梦想的大学，可是，现实让她失望。她留恋大城市的繁荣，又惦记家乡的贫困……她始终在痛苦的挣扎中。

姑娘的文字是不错的，干净而犀利，是有做一个文字工作的好功底的。

我也和姑娘聊，一个媒体因为不同定位在社会中的不同作用。显然，我们这本杂志帮不到她的家乡，但是，有一些媒体也许可以帮到她……而且，就像我不能在不了解她的故事和道理前轻易否定她的任何一个观点一样，她也不能在不了解一件事情的本质前轻易地全部否认它。否认永远都没有错，但是要有理有据才服人，这也是作为一个新闻工作者的必要素质。

我建议她，去几家新闻类媒体试试，我愿意帮她推荐，她很可能会成为一个不错的新闻记者。还对她说：疾恶如仇是可敬的，疾富如仇是可笑的。

姑娘是学历史的，我说，你看，你一定了解，中国历史上最昌盛的两个时代——大汉和大唐，同时，在我们几千年的历史上，也是文化最为包容的两个时代，对吗？

我和她聊了三个小时，我相信，这姑娘将来会成为一个很不错的新闻记者。

生活本身就是故事。三年半后，我接受一家南方报纸的专访。约好的记者电话里说，我们有个同事，一定要来和我一起见你。

你一定猜到了，我又见到了这个姑娘。

她见我嘿嘿地笑着说："雪姐，我现在还是不大看时装杂志，哪怕是*ELLE*！我看*TIME*，*FORTUNE*。可我尊重你，由衷地感谢你，你给我上了走出校门后做一个好记者的第一课。你说的话我会记得一辈子：疾恶如仇是可敬的，疾富如仇是可笑的。你让我懂得了，自己不知其所以然的事，永远都不要轻易地瞧不起或者否认……"我喜欢这个姑娘，虽然她的梦想不是做时装杂志，虽然我们的梦想很不一样，但是，有梦的人，都是值得尊重的。

其实，每个人，无论你从事什么职业，都需要一个梦想。

上学的时候，我们经常做的一篇作文是"我的理想"，少年时代的理想就是一个我们想象中的美好的职业；现在，我们已经有了一份职业，我们还需要一个梦想。梦想有的时候没有理想那么具体，更像是一种职业责任和职业信仰，可是，我们需要它。这样在我们疲惫的时候，泄气的时候，遇到挫折的时候，它就是职业生涯中可以让你峰回路转、豁然开朗的那盏照明灯。

生活中，我们也需要梦想。对爱情，对友情，对人间所有美好的情感，以及对日复一日柴米油盐的日子，梦想永远都是雨过天晴后的那道彩虹。**如果我们永远低着头走路，看到的就只会是方寸之地，困惑住自己的一定是今天眼下面临的困难；如果我们扬着头走路，你可以看到更远更蓝的天，**就可以想到所有的困难和挫折都将成为过眼烟云，心里有梦想，脚下才有生气，这样才不会浑浑噩噩地过日子，不会轻易地被失败打倒。

网络时代的朋友

在网络虚拟生活越来越发达的当下，在是非黑白越来越功利的今天，我们都更需要朋友，真正的那种……像我们年少时读的武侠小说里那些可以肝胆相照的朋友。

朋友失恋了，在自己微博上发了一条文采极好的失恋宣言，一夜之间被转了上千条，可是她说又如何？一千个人看了转了，其实不及有个知心朋友听她哭一场。网络可以让我们越过千山万水和陌生人整夜键盘长聊，但是你感受不到对方的温度，那一种温度，是虚拟世界永远无法替代的心心相印。

这个时代时髦“秀一秀”“晒一晒”，那些 facebook、twitter、微博等等，让我们每个人都像生活在一个大玻璃房子里，只要你想，你就可以让全世界看到你和你的感情。有人利用微博的传播找到了失散多年的好友，也有人因为一条微博伤了多年的老朋友。140 个字一张图片，可以暴露天机也可以引起误会。越来越多的人加入微博大军，在 140 字里看尽人间悲欢离合。也许少有人会想到：人和人之间的情分，很多时候是细微的敏感的，必须要小心呵护的，也许并不适合分享给所有人。所谓朋友，是你和他（她）可以心无芥蒂地分享所有喜怒哀乐，而别人，其实不必听到也不必听懂。

老天在给了人类更多智慧更多高科技更多便利的同时，也给了人和人之间的感情更多的考验。我们早已体验不到古时长相思不相见的痛苦，却不得不面临通过手机、E-mail、MSN、QQ、微信每时每刻的沟通而带来的心理上的惆怅、依赖和不信任。

如果你身边，有这样的朋友，请一定珍惜：

他可能一年都没有跟你在MSN闲聊过，某一天你的微博上发了一条很隐秘地表达自己不开心的小情绪，他的私信很快就到“你怎么了？”——他默默地关注着你，一直都在，只在你最需要的时候出现。

他经常和你面对面地聊天，一起逛街、吃饭、喝酒喝茶，像你生活中的一个影子，你很忙的时候他会自觉地不来打搅，你很闲的时候第一个想到要跟他去逛街，你们分享一切，共同承担一切。他是老天给你派来的一个人生伙伴。

他和你其实不是那么熟，只是在你某一次有了麻烦的时候帮过你，在你很不走运的时候请你吃饭笑着劝你说：“人生没有过不去的坎儿，你这才哪到哪，我就觉得你挺好！”不势利的人在今天势利的社会非常难得。

当代的君子之交，也许淡如水，也许甜如蜜，最重要的是彼此的惦记、理解和包容，其实网络再怎样发达，人和人的关系有一点从来没变过——人心换人心，有诚心待朋友的人，才会拥有真朋友。

人生最后悔的五件事

美国一位临终关怀护士曾经在网上发过一个已被全球网友用各种语言转了几十万次的帖，内容是1000名患者在临终前表达的“人生最后悔的五件事”：

希望当初我有勇气过自己真正想要的生活；

希望当初我没有花这么多精力在工作上而错过爱人陪伴和孩子成长；

希望当初我能和朋友保持联系而不是因生活忙碌忽略了闪亮的友情；

希望当初能有勇气表达我的感受而不是压抑愤怒和消极情绪；

希望当初我能让自己活得开心点而不是习惯掩饰只在人前堆起笑脸。

在现代城市里的高速高压运转中，每个人都像是在飞转中的汽车轮胎上的一颗小铆钉，无论你想与不想，车轮在转，自己只能跟着转，这一转就是几十年。看了上面这个帖子我在想，有什么方法可以让自己在跟这个世界告别的时候，尽量少地说“希望当初……”彼时“当初”就是此时“当下”，如果按照临终的遗憾相反的逻辑来思考，那我们当下要做的是：

一、要有勇气过自己想要的生活。即使在如车轮飞转般忙到没空喘息的时候，还是要经常问自己，我最想要的是什么？别人的标准是别人的，社会的标准是社会的，虽然我们生存在社会中和别人的目光下，但是，自己心中总要有杆秤，只有了自己的标准才知道取舍和轻重。

二、工作很重要，我们靠工作养家以及获得别人的尊重，但工作重要不过家庭、爱人和孩子。人生有些事错过还有改正的机会，比如没达到工作中的一个指标或者暂时没找到一份合适的工作；而有些事错过就将终生错过，比如孩子的童年，或一个爱你的男人。

三、珍惜朋友，尤其是一生中从没有过利益交往却始终心有灵犀的朋友。永远都别吝啬主动给朋友发个短信打个电话、招呼一个饭局，有几个你可以永不设防说真话，久不联系依然亲的真朋友，是人生巨大的福气和财富。

四、没有人可以在一生中不失败不挫折不委屈不哭泣，有时哭出来比忍下去更重要，所有伤心的难过的愤怒的情绪，只有用恰当的方式发泄出来才不会积压在心底，别让自己变成一个只爱埋怨和骂娘的人。

五、活得开心点，这是一句简单的话却不是一件简单的事。这五个字更像是前面四点的小结：知道自己想要什么并有能力掌控自己的命运 + 拥有幸福的家庭并珍惜 + 有好朋友并彼此常来往 + 拥有将一切爱恨伤悲一笑解千愁的洒脱和淡定——努力以上的过程中，就能活得更开心。

无独有偶，在日本一位临终关怀护士写的书《人生最后悔的 25 件事》也提到了上面几点，在这本书中，作者还强调了一个“遗憾”是“没有留下自己生存过的证据”。珠宝、房子和存款都不是一个人的“生存证据”，而只有对别人和社会做过一点有益并让人记住的事，才算是“生存证据”。

人生有些事情不会让我们变得更富有，但总是要提醒自己：千万别因此而放弃，那些事可以让我们内心更快乐和人生更有意义，让我们此生有“生存证据”。

职业快感

你最理想的工作是什么？这个问题年纪越小职场经验越少越容易回答，而当你在职场中摸爬滚打很多年后，却不敢轻易和轻松地回答，理想的工作既要可以糊口让自己和家人过着越来越好的小日子，还可以真的实现一点点“理想”，后者并不容易。

你现在的工作可以带给你快乐么？看过一份调查报告，说我们中国城市白领的工作快乐指数很低，低到全球重点城市排行的倒数十名，这和我们让世界刮目相看的 GDP 指数飞速增长正好相反。可是，对一个需要常年工作的人来说，一份不能带来快感的工作如同一个不能带来高潮的男人，我们能够坚持多久？

所以，与其抱怨生不逢时，生不逢地，生不逢到一份天下掉馅饼般又美好又轻松的工作，不如调整自己的心态，让手头的工作可以带给自己职业快感。理想在云端，实现理想却是靠手边每一件小事情小细节累积而成。我们跟工作的关系，总是要有那么一点点和心上人般的眷恋感觉，一点点就够。一天从早到晚地忙碌，一年从春到冬地奔波，在那些浩如烟海日复一日的琐碎中，要有某一件事，是你真的喜欢做的，真的享受做的过程的，做好后真的自己会为之自豪的。

获得职业快感还需要我们在职场里学会认输，不可能每一件事情都做成功，就像大部分的我们不是碰到第一个男人就是一生真爱。失败在很多时候是下一次成功的前奏，在很多时候只是历练和代价，不能够从失败中抖擞精神从头开始，就只会在失败的阴影中无奈地继续工作，那一种阴郁，何谈快感?

做成了事，还得有知足之心，贪欲永远都是快乐的大敌。再能干的人，也不可能永远被升职被大幅度地涨工资，尽管你一年比一年做得更好。能够认同成长比成功重要时，才不会被职位、工资、业绩等利益所困，可以在自己的拼搏过程中享受自己成长的快乐。

ELLE 编辑部曾经策划过一个有意思的选题，参与者全体出动奔赴自己梦想的另一个工作角色，有的姑娘想去做个清闲没压力的农民，有的想去男孩子很多的 IT 公司，有的想做医生，还有的想开书店。我们上下疏通关系，真的把各位小编们送进了大家“梦想”的职业里。各自几天实习下来，体验过程虽很精彩，但每个人都说：原来还是自己手头这份工作好。职场里十字路口非常多，很多时候要问自己，是坚持还是换个方向？没有绝对的答案，只能说肯坚持的人做成事的概率更高。著名哲学家笛卡尔在《谈谈方法》一书中有个著名的小故事：当一个人在森林里迷路的时候，只要你坚持朝一个方向走，一直走下去，一定会走出迷林。

所以，做任何事，坚持都很重要。一个执著的人，在数年不变披荆斩棘地向一个目标前进时，内心一定有理想，并且有机会享受到实现理想的至高职业快感。

三个职场必备要素

我不能算是个太资深的“职场人”，大学毕业20年，做过四份工作：一份电视，一份电影，两份杂志，四行字就可以把职场简历写明白。看过《杜拉拉升职记》和其他一些市面上的职场小说，不是很认同其中所谓职场技巧，我是那一派认为职场无技巧、更多要凭直觉、顶多是要遵守职场规则的打工者，也是坚定的细节主义者。细节致胜，小地方做好了，才有机会做和做成大事。

职场有些习惯，和个人的生活习惯、性格特质密不可分，以下三点，都是最基本的品质和习惯，和所有每天要早起赶工、周末要经常加班的办公室姐妹们，分享如下。

一、准时

这两字个很简单，坚持成为习惯并不容易。大家都很忙，何况我们生活的城市还塞车，何况工作里每一分钟都有未曾料想的事情发生……但是，如果你想，你还是可以做到不迟到，甚至永远不迟到。准时不仅是一个好的职场习惯，也是一个好的做人品德。如果这样想，你会发现不迟到不是特别难，早上的会议担心塞车就早出门20分钟；晚上的会议担心迟到就抓紧白天的效率，中间的会议要想不迟到只是需要锻炼一下自己的统筹能力。

真的要迟到了，尽早发个短信打个电话给人家，真诚地先道歉；见面如是，你的迟到让对方浪费了时间等待，先道歉，也许人家会原谅。然后赶紧告诉自己，下一次，一定不迟到了。

我的一个心理学朋友曾经告诉我，职场上有个别永远不准时甚至“喜欢”迟到的人，从心理学角度讲也是一种强迫症的表现，是真的需要一些心理治疗的。

二、诚实

这两个字也很简单，是每个妈妈自宝宝懂事起开始就教育，是妈妈对宝宝最要紧的教育功课之一。我到现在还记得，上小学的时候，有一次因为学校里的一个小事情跟妈妈撒了谎，结果妈妈非常生气，让我在门旮旯里罚站“反省”了好几个小时……

现在我们长大了，处于复杂的社会环境和工作环境中，真实和谎言有的时候就是一念之差……谎言是职场中的隐形炸弹，当你因为某种利益一张口说了谎，也许跟张同事和李同事说了不一样的故事版本，也许给大老板和大大老板汇报了不一样的情况，可能一时蒙混过关，但是“群众的眼睛是雪亮的”，早晚有一天，谎言会被戳穿，将会付出比小时候妈妈的“罚站”严重得多的代价。

有一个小妹妹，在办公室因为说了真话反而被她的上司误会，提拔了另一个没有说真话的孩子……她曾经非常委屈，怀疑自己是否说真话说错了……当时我只是告诉她，上天有眼，都看着呢，不委屈，不着急，做人诚实，心里亮堂，这是提薪升职都换不来的心里踏实。一年后，真相大白，小姑娘获得提拔重用，给我写了老长的E-mail，分享“诚实”的心得。

善意的谎言除外。比如你有一个患有忧郁症的同事，可能要遵照医生的建议，在治疗期间，不要轻易用可能真实的可是会让他不舒服的事情刺激他。

三、礼貌

这两个字更简单，好像人人都懂得。在职场里同样需要人人都很礼貌，需要尊重别人，需要周到委婉。

比如，人人都有手机，总是有一些人永远忙得不接电话，在会议中不接电话是情有可原的，在会议中坐在那里大声接电话也是一种非常不礼貌的举动。但是不接电话的时候，要尽早找机会给对方回个短信告诉人家自己不方便，稍晚再回复，尤其是别人有急事要找你的时候。短信的发明不知是哪一位，真是创造了一种温柔的人与人之间沟通的方式，既然大部分中国人都习惯短信沟通，那也要同样要尊重这种沟通方式，不要接了人家短信几天不理，要想一想看，如果你发了短信给一个同事，他半天不知何故不理你，你会怎么想？你哪怕只回“好”、“不好”、“稍晚再谈”，那至少都是一种周到。

我自己经历过因为没有及时回电话和回短信而造成的彼此之间的误会，至少会让对方觉得，你很不重视对方，你不过是因为忙而忽视了对方。如果你真是接到一个很不愿意回复或者实在很为难的短信，你与其用不回的方式告诉人家“我懒得搭理你”，不如给人家回一个“对不起，在忙，晚些答复你好么？”，会好很多。

再比如，我曾经面试过一个编辑，她走出我的办公室的时候，我已经决定要录用她了，结果她出大门的时候重重地“砰”的一声就把办公室的玻璃门给撞上了，完全没有顾及紧跟在她后面正搬着大箱子要出门的编辑，后面的编辑因为拖着箱子，没站稳就摔了跟头，结果她头都没回，径自走了……后来，这姑娘和我们编辑部失之交臂。

我在面试别人的时候，自己也重新提醒自己这些细节，这六个字都非常简单，想做到都不难。这六个字并不保证让你或我在职场上“飞黄腾达”，只是成长比成功重要，做人比做事重要。

如何找到一份好工作

如何找到一份好工作？这是刚出大学毕业生们最想知道答案的问题，我当年也一样。

记得自己大学毕业的时候，同样地，全社会在讨论大学生就业问题，那个时候双向选择刚刚开始几年。本来学校给我“双向”的是在一家合资饭店总经理办公室做助理（90年代初的时候去合资饭店工作是挺让人羡慕的选择呢！），不过我那个时候迷上了做电视，执著地要去一家电视公司，家长老师的话都不肯听，宁肯去给人家刚刚成立的香港电视公司北京办事处没日没夜地打杂儿，也不要去风光体面的合资饭店上班。据说后来人家合资饭店的人事部气得要命，觉得这个孩子怎么这么不知道天高地厚……因为电视公司办事处刚成立，我去的时候正是“百废待兴”的时候，我妈一直跟我唠叨“连个劳保手续都不全，你病了怎么办？”结果是大学毕业十年，即使在连续工作三个月没有周末的时候，我也没进过医院的门，顶多感冒发烧，自己去药铺买点药就打发了……年轻实在是人生最大的本钱。

“如何找到一份好工作”，其实答案在“如何做好一份工作”里，无论你手头的这份工作是“好”或者“不好”。经常有年轻的弟弟妹妹问我，你现在让我们“先做好手头的工作”，你当年为什么不服从分配先做好酒店的工作啊？——我如果已经开始做了那个总经理助理的工作，我一定会是个好助理，并且两年内不会让自己换工作，我相信任何公司任何位置对自己都是锻炼，都可以学到校园里没有学到的东西；在我大学毕业那一年，我选择了一个比总经理助理工资低且家长老师们都认为“看不到前途”、“不稳定”的工作，当时只拥有激情和不怕吃苦的精神，对一个刚毕业的学生来说，不含杂质的这两样特质非常重要。好孩子永远都有机会，无论你现在做的是什么位置什么工作。

我曾经在上海华师大应邀给毕业生讲课，不止一个学生问：

有一份工作我不喜欢，可是能帮我解决户口问题；另一份工作我很喜欢，可是没办法帮我解决户口问题，你说我怎么选择？

——这问题还用问？！如果你是一个对事业有理想的孩子，管什么户口问题，有机会做你喜欢的事，赶紧去啊！

有一个工作我很喜欢，可是离我家很远，父母都希望我找个离家近的工作呢！

——天啊，这不是问题！离家远早起一两个小时就可以解决啊！父母也希望你做自己喜欢的工作可以成长更快呢，跟妈妈说你根本不在乎每天早起两个小时！

有一个工作挺好的，可是我认为一个刚毕业的大学生在那种大企业混三年也爬不到经理位置，你说我要不要去试？

——你要是自己想做老板，根本就不要去什么大企业，做到 CEO 也还是打工的，自己注册个公司明天你就是老板；想打工，就不要从计较职位开始，做好手头的事比什么都重要，升职基本上是你老板要想的事，不是你在还没做这个工作前就开始要考虑的事。

……

上海《青年报》曾经做过一个调查，毕业生最为焦虑的人生问题是“职业发展”，几千人的调查显示，表示“有很大压力”的占54.11%，表示“有一定压力”的占43.62%……如何找到一个满意的“好工作”，困惑着每一个刚出校门的孩子。

其实，压力对年轻人来说真的不是坏事。无论从小多宝贝，多任性，每个人都要长大，都要学会开始承受压力。小宝宝学走路，是天天要摔几十个跟头摔几个月才能走利索的，刚走出大学校门的孩子，是在社会大熔炉中学习“走路”的时候，一样要经历“摔跟头”的过程，这些“跟头”只是长大成熟的代价，没什么好抱怨的。每一个大家看着很风光的职场人、很成功的企业家都是摸爬滚打风风雨雨过来的。

我在大学毕业多年后，才听到于丹老师讲《论语》，很感触她对《论语》中孔子的“神于天，圣于地”的精彩诠释：这六个字是中国人的人格理想，只有天空而没有土地的人，是梦想主义而不是理想主义者，只有土地没有天空的人，是务实主义者而不是现实主义者。理想主义和现实主义就是我们的天与地。

所以，年轻人，别天天空想，也别那么务实，每个人的未来，都在自己手上。

大学毕业二十年

2012年，是我大学毕业二十年。因为在上海截稿，母校的庆典没去成。我在北京的家离我的母校北京青年政治学院非常近，那是一所小小的学校小小的校园。经常路过，每次路过的时候，就有时空交错时间飞逝的强烈感觉。

曾经有一个晚上，先生在学校旁边的望京医院打点滴，我就自己溜达进了校园。二十年实在变化太大，我努力在每个角落寻找当年的记忆，一点点熟悉的印迹都让自己唏嘘。在校园院子里的宣传板上，竟然看到了几年前我的一篇博客的摘抄，哑然失笑，不知道学妹们是否知道这是老学姐的文字啊……当时站在那块宣传板前，百感交集，二十年里的很多镜头，就在黄昏里一幕幕地闪过……

蓦然回首，大学毕业已二十年。

1991年8月，我没有服从学校的分配，自己做主去了一家做电视节目的外企。学校人事部和接收单位还有父母都气得够呛，后来的结果是我的档案被锁在那家接收单位的人事部柜子里三年，经过数次沟通，终于被人家不耐烦地扔回到我户口所在地的街道，我才算是重新成为有档案的人。现在的孩子幸运，档案已经越来越没有用了。

我的每一份工作，父母都没帮上忙，我想父母一定自豪他们的女儿可以早早独立面对生活中不顺利的那些失意、失恋和失败，可以每一次爬起来尽管伤痕累累还是有勇气迎接新的挑战，可以在最颓败最伤心的时候仍然相信：明天就会好起来。

做时尚杂志并不是我学生时代的梦想，二十年前翻着这本叫*ELLE*的杂志的确是有做梦的感觉，我觉得那些美丽的东西离自己都很遥远，是个梦。我努力的目标从来都不是做一个女主编，而只是想做好手底每一件大一点点的事和小得不能再小的鸡毛蒜皮的事，尽量做到不让自己后悔，尽量完善每一个细节。有一天，梦想照进现实，命运把我送进了二十年前那个梦一般的杂志。

到今天我依然觉得，无论做电影，做电视，做杂志，对我来说都是有意思的事，这些行业至今可以吸引我的共同点是：在工作的时候还能够学习新东西，自己还有成长的机会和空间。从这一点来说，二十年前和二十年后，我选择职业的方向没有变化。

最近几年被很多年轻人追问：如何能进这一行？学什么专业能进这一行？进这一行需要什么样的素质？其实，我真的不知道标准答案是什么，我只知道没有捷径，任何一行都没有捷径。需要的所谓“素质”，我们每个人都知道：热情、负责、认真、细心、坚持……等等，都是上学时老师教我们那些为人做事的道理，做到了，机会就会在某一天悄悄降临你，如果不图一时之利和一时之快，放眼人生几十年来看，命运对每个人都很公平，对年轻人来说，有抱怨命运不公那工夫，真的不如赶紧用功，那样才有改变命运的机会，并且，有掌握自己命运的机会。

谨以这一篇小文，纪念自己大学毕业二十年，送给我大学最亲爱的同学们，也送给我母校的学弟学妹们。我读的不是名校不是一类大学，曾经因为没有上成我中学时代仰慕的北大和复旦而遗憾很多年，但是，也许正是因为18岁就懂得了“遗憾”，18岁以后的日子让我更努力，而那些努力在数年后才开花结果。

所以，只要年轻，只要努力，只要有梦想又肯用功，一切都来得及，一切都会有——只要你相信。

不旅行，不知世界有多美好

我是一个彻底的旅行分子，愿意为旅行放弃买大房子，愿意为旅行暂时放弃一些耳鬓厮磨的小幸福。十几年的旅行让我切实地感受到路上有太多好处。人世间再没有哪一件事如旅行这般禁得起反复回忆。

有人说：清醒时做事，糊涂时读书，烦躁时睡觉……而清醒、糊涂、烦躁时，都适合背起行李出去走走。读万卷书不如行万里路，出门开眼所得到的一切是我们读书无数或阅人无数换不来的。时间可以挤出来，钱也不需要太多，只要肯放下一些东西，背包上路，所得到的是我们在办公室或在家里的纷繁日子中无法想象的。

见了海，知道自己不过就是一滴水，自己的愁有多么浅；见了山，知道自己不过如一粒尘，自己的苦有多么薄。在旅途中，我们有机会看到，很多更精彩或者更悲惨的人生、很多大自然赐予的天成美景，感受到自己的渺小，从而懂得知足者常乐；在旅途中，我们可以放下一切架子，以最放松的心态重新看世界。无论你的职业身份地位，在路上，你只是一个过客，所有的人都是过客。

曾经在微博上说，与其买房，不如买包；与其买包，不如买机票火车票或者干脆就骑着单车去旅行。人生苦短，到头来无论你是绝世美女还是亿万富翁（何况我们都不是！），都面临同样的生老病死。等我们老了的时候，老得走也走不动的那一天，老得可能他已经先你而去的那一天，你说，那个时候什么对我们最重要？我坚定地认为：是难忘的珍贵的回忆。那些记忆，将让我们觉得不枉此生。而出门旅行，总是能造就绝无仅有的充满惊喜的记忆。

现实现世，这样嘈杂而繁重的日子，实在需要一年至少去透一次气，旅行是透气最好的选择。旅行不仅仅是开眼界长见识，当一个人在放下手头一切、拉着行李箱投入另一个你不熟悉的大千世界时，有了机会同时学会“放下”和“拿起”，放下的是平常日子里的无数纠结，拿起的是新的勇气和信心。**也许老天爷本来就是这样设计我们的日子的，有时你要为了柴米油盐抛开一切，有时你要抛开柴米油盐为了更好地生活。**

曾经在某个遥远的海边偶遇凌晨四点就要出海的老渔民，跟老人家说：好辛苦！终年起早贪黑只为了捞上一网鱼，而老人却淡淡地说：“孩子，哪里辛苦，我一生的快乐就是比太阳起得早，每一天都可以看到日出；

曾经看到一位古稀蹒跚的老人推着坐在轮椅上的老伴儿在小镇的夕阳里散步，慢悠悠地讲：“来这个地方是我们50年前的一个约定，那一年我们彼此承诺如果我们还在一起，只要走得动，一定再来这里重温我们年轻时的激情”；

曾经在一个千年古城的博物馆里，看到一个年轻姑娘站在很高的梯子上，仰着头，拿着画笔，日复一日地修复一张千年的屋顶画作，小憩的时候和游客闲聊：从不觉得自己的工作闷，虽然外面的世界越来越繁华，自己却享受这样简单的工作环境和细致的工作流程，她年轻的生命和才华就是为了这样一笔一笔地修复历史……

曾经喜欢的某一部电影某一本书甚至某一个梦里的地方，恍然就出现在自己眼前，梦想成真，真实如梦。西西里岛有个迷人的小城叫锡拉库萨，知道这个小城是因为莫尼卡·贝鲁齐的电影《西西里美丽传说》，当我跨千山万水走到那里的时候，内心的感动无以言表。

曾经在一个陌生的城市，当街微醺。那种偶尔放开和放肆自己的感觉是有多难忘。那是在瑞士的莫尔日小镇，遇到热情好客的红酒铺老板，一杯又一杯地试酒，不胜酒力的我当街大醉，整个午后在眩晕中度过，后来想起这个美丽的小镇都是摇摇晃晃的。

……

每次出门旅行都是人生一段缩影：路上有惊喜也有惊险，有迷路的时候有走弯路的时候，有陌生人相助的感动也有上当受骗的委屈……人在旅途时最真切地体验“山重水复疑无路，柳暗花明又一村”，无论什么样的困难，只要心能飞远，执著不变，万水千山都可走遍。哲人说：一个人眼里看到的，其实是心里愿意相信的。所以我们必须坚持旅行，可以让自己有机会由心“看”到温暖阳光、新鲜空气、好景致与好人文。

人一生中至少要有两次冲动吧，一次为奋不顾身的爱情，一次为说走就走的旅行。旅行并不能改变人生，但是旅行中的所感所悟，真的可以改变一个人的生活态度。

不旅行，不知道世界有多美好。趁年轻，能走多远走多远。

| 2011 年　意大利西西里 |

只要对着他的镜头，我习惯性地就会微笑。曾经有人说，爱情，就是生活里的微笑。

| 2009 年　巴黎卢浮宫广场 |

CHAPTER 5

做一个拥有爱的女子

爱情是女人生命中最重要的一件事情。时装可以让一个女人美丽，珠宝可以让一个女人闪亮，美妆品和科技手段可以让女人看起来青春永驻，但是，可以让一个女人更有魅力更性感的，唯有爱情。

只有在爱情这件事上，我非常宿命，笃信缘分，冥冥之中，上天早已给每个人安排好了一个或者数个爱的故事以及爱的结局。爱情，不用急，真的是等来的。只是有诚意地等和混沌着等差别很大，前者相信爱情，珍爱自己，认同一个情字大于其他所有；后者永远在问“世上有纯爱这回事么？”不相信，就乱来，糟蹋感情也糟蹋自己……那些美丽的邂逅，是给前者准备的，不相信爱情的人，怎么会有一见钟情？

你想要等到一个多好的人——善良，忠诚，有责任有担当，可以托付终身；就先让自己成为这样一个好人——善良，忠诚，有责任有担当，可以荣辱与共。

当真爱来临，当那个他在我们还不清楚其家世、职业、收入等等的时候，已经为他心跳加速、面红耳赤、夜不能寐的时候，无论如何，不要放弃，绝不要轻易地放弃。上天不过是在你和他之间设置了很多的沟沟坎坎，千回百转后，是你的谁也抢不走，一切的等待都值。对每个相信爱的女人来说，这世上终有一个男人，在等着和你牵手并度过一生。

而婚姻是一门智慧。即使是像我这样毫不迟疑地相信爱情海枯石烂的女人，也发现当一段爱情变成一生日子的时候，当两个人的卿卿我我变成一大家子的柴米油盐的时候，女人需要有更高的智慧，才能维护爱情常青。

有个不恰当的比喻，爱情好像麻将牌，拿到什么牌是命中注定的，而出手什么牌，什么时候出什么牌，战术战略还是可以掌握在自己手里的。

爱情本无输赢，一定要论输赢，只要爱过，就是赢。

| 2010 年　巴塞罗那当代艺术博物馆 |

好男人遍街都是

尽管当下剩女盛行，我还是由衷地相信：好男人遍街都是。

——爱本来就无所谓对错，虽然世间男女总是纠缠在谁对谁错的恩怨中；女人就别想真的看懂男人，可是所有的多情红颜都那么想看清那个男人的心。这几乎是女人的死穴，他到底是怎么想的？其实，他怎么想的绝对没有你怎么想的更重要。你爱他，比什么都重要，你要是还不确定自己是不是爱人家的时候，趁早别费劲去猜对方爱你有几分。

——最怕听女朋友讲的一句话是："好男人都跑哪去了？"更有甚者，干脆说："好男人都死光了……"从前最开始听到这句牢骚的时候是很同情说这话的女朋友的，遇人不淑，爱情遭暗算，落得心伤透……后来年纪大了，看人多了，听故事听得耳厌了，发现了一个真理：好男人和好女人一样多，只多不少。

说"好男人遍街都是"，一点不过分，因为好女人同样俯拾皆是。

找不到好男人可爱或者可嫁，实在是要先检讨自己的，是不是有一颗足够温柔的心，一双足够睿智的眼睛，以及一个足够宽容的心态？

——从上帝造人之初，亚当夏娃就不是一个品性。漂亮女人和好男人，是完全不同的两种动物，前者用眼睛就可以看到，后者要用心去看。

每一个女人都有各自的好，或心地善良，或天生丽质，或才华横溢；男人们是一样的，只是他们更多的好，隐藏在女人眼睛看不到的地方，只要你能发现。

——早年费翔唱过一首很“俗”的歌《读你》：“读你千遍也不厌倦……”你发现了他，恰巧他在同一时刻也发现了你，那是缘分。其实在缘分之后男女相守的很多年里，爱情的重要内容之一是彼此继续发现，像彼此在读一本厚厚的书。男女比较起来，女人更像是一本画册，这本画册里的图片不会永远年轻，只是张张有味道，从情窦初开的黑白到花枝怒放的彩色再到瓜熟蒂落的黑白，他若是珍惜，不仅会迷年轻的妖娆，也爱沧桑的美丽。男人么，更像是一本字书，乍看起来，是有一点枯燥的，需要女人静下心，耐心地一字一行地读。开始也许就是白话文，你一看就明白；刚有了默契，又变成了古文，要费了心思才懂得；间或还有唐诗宋词，言简意赅得你得反复地看才明白其中的奥妙……

最后么，爱情会将一个懂得读爱的女人修炼得——即使只是一串标点符号，你也看得出他的好。

女人要给自己机会，偶尔调皮一刻，让童心有机会小小爆发。
在海边站在椅子上，学身后广告女郎的样子……

| 2004 年　法国戛纳 |

女人要给自己机会，偶尔乱搭一下。
丝巾 + 针织衫 + 运动裤 +NIKE 运动鞋 + 仔衣。只要舒服和自信，总是美的。

| 2010 年　捷克布拉格 |

爱比路长

2007 年的一次旅行，有一本书陪伴了我一路：《时间旅行者的妻子》（*The Time Traveler's Wife*）。

我很少花这么长时间看一本小说，也有一阵子没看外国小说了，这本书的厚度按照平时也就是从北京飞上海的阅读时间，可这次这个故事足足感动了我一路。

这是一个有点抽象甚至荒诞的跨时空的爱情故事；爱情两个字，一点不抽象和荒诞，非常具体地脚踏实地地落在每一页的字里行间。你相信一个女孩在六岁的时候就可能碰到她若干年后的一生真爱吗？你相信一对陌生男女第一次见面、第一次接吻、第一次做爱就会有似曾相识的亲密感吗？你相信——时间完全不能阻隔和影响爱情，反而可以延续和深化爱情，路再长，时间再久，日子再反复，完全抵不过，爱情的力量，你相信吗？

我相信。

我相信：有一双手握住我时，温暖会像电流一样，瞬间传遍全身；有一双眼睛看着我时，世界就变成了他一个人；有一个肩膀靠起来，什么困难都不怕；有那个人在，快乐就在，幸福就在，什么都在手中。

那一些感觉，就叫做“爱情”吧。

女作家奥德丽·尼芬格在讲述克莱尔和亨利这一对在时间长河中荡漾的爱情故事中，整本书都在说：与爱情比起来，时间算什么！

喜欢另一位我倾心的上海女作家毛尖在书前所题：

时间与爱情相比，后者才是终极真谛，这样，你才有资格在这个时代发誓：永生永世。

女人要给自己机会，穿红戴绿一下。
那些平日里不会穿进办公室的鲜艳的花裙子，旅行中可以拿来让自己香艳一刻。

| 2011 年　意大利那不勒斯 |

女人要给自己机会，偶尔张扬地性感。
露背长裙，灿烂地在阳光下飘扬。

| 2011 年　意大利锡拉库萨 |

爱情保鲜的秘诀

女朋友问：到底有没有，保鲜爱情的秘诀，让他和我在永恒的热恋中？

有一个好多年前的答案。我第一次提出这个问题的时候是十五或者十六岁，对爱情刚开始有美好的向往，眼里最幸福的一对是楼上的邻居哥哥和他的妻子，我认识他们的时候才刚刚懂事，目睹他们的甜蜜爱情长达七年，期间两人经历很重的病痛，双方父母的隔阂，妻子被派出国一年半的两地相思等等，在当时的我看来，这些都是爱情中不可逾越的障碍。但是，他们相爱如初，一直都像一对热恋中的情侣。

有一天我终于忍不住，问邻居哥哥保鲜爱情的秘诀是什么？哥哥说：我们想方设法让对方觉得，每天的太阳都是新的。

当时我对这个答案很不满意，觉得是大哥哥糊弄小孩——别说每天的太阳，就是每月的，每年的太阳又有什么分别呢？

很多年过去，我已经到了当年大哥哥回答这个问题的年龄。我被比我小几岁的朋友问到了同样的问题，我想了很久，结果竟是觉得那个十几年前的答案最恰当：想方设法让对方觉得，每天的太阳都是新的。

在今天，轻易不敢说，我们心不变，爱不变，什么都不变，虽然天长地久、海枯石烂依然是爱情中最美丽的词汇。我和你一样，我们比父辈更多样地更奢侈地在享受生活，同时我们面临更复杂的更让人眼花缭乱的诱惑——什么都在变，每个人都唯恐变得不够快，变得跟不上“形势”。

天下是否真的有可以保鲜爱情的秘方？老实说我不知道，不妨想一想大哥哥的话，要想让今天的爱情长久，仅仅有两人的恩爱是不够的。与其让外界强迫自己在“变”，不如自己主动地“变”——你可以让自己变得更自信，更丰富，更愿意了解最新的事物，也更优雅、更沉着、更有涵养，这些品质都不是与生俱来的，都需要我们在每一天里补充自己。而只要你在更新自己，你的太阳就是新的，在对方眼里，你就是他每天生活中的亮点和希望。

所以，太阳可以每天都是新的，而爱情可以新鲜很久，久到任何一个我们和他们愿意的时间长度。

一起慢慢变老

某个周末，去好友玉子的新窝参观，两个女人倒在她家沙发上，不能免俗地，谈起爱情和男人。

我和玉子是完全不同的两种类型的女人，却是无话不说的好朋友。她叛逆，颠覆，一年四季都穿着低腰裤，从衣柜里拎出一条露着背、腰间系着大蝴蝶结的黑色小晚装，说是自己“脑子坏掉”的时候买的，让我“快拿走”，她是“一辈子不会穿蝴蝶结的”。很多年前我们认识的时候，因为彼此发现都还在看《当代》、《十月》、《收获》、《小说选刊》这些纯文学刊物而开始惺惺相惜。我做电影的时候，玉子是CCTV《东方时空》出色的纪录片女导演；我改行做了时装杂志，玉子却转行做了电影，并且很快在国际电影节上捧回各种大奖小奖，是受人瞩目的新一代年轻女导演。

我们两个对爱情的观点不太一致，喜欢男人的类型也很不一样。我们的话题就讨论到：一对相爱男女在一起，最美好的感觉是什么？

想到了很多画面：

初相识，惦记他又没牵到他的手的时候，心里的那种揪心，是美好的，有了他，有了盼头。

第一次拉手，第一次拥抱，第一次接吻，是美好的。那几秒钟，心跳会加快，快到你不能呼吸的地步，天旋地转，世界不存在，你眼里心里，只有一个他。

床上的缠绵，是美好的。两个人身上的每一寸肌肤都不能再分出彼此，你是他的，他是你的，身心都交织在一起。

爱情有了结晶，一个小东西在你们的怀抱中，是美好的。你简直就不能相信，你们真的就可以造出这么可爱的小人儿！

……

还有很多，但是什么是“最”美好的感觉？——女人之间的默契永远都不可思议，玉子忽然说：

“你记得吗？有一首特俗的歌？”

我紧接着可以大致哼唱出来：

“我能想到的最浪漫的事，就是和你一起慢慢变老，直到老得哪也去不了，我还依然是你手心里的宝……”

我们几乎不约而同地说，两个人在一起最美好的感觉，是“一起慢慢变老”。60岁、70岁、80岁，那个时候，我们不再美丽，房子、车子、华美的衣裳，所有的荣耀，都成了真正的身外之物。

可是，我还是可以，天天看着你。看着你渐渐花白的头发，渐渐佝偻的身体，你起了斑点和皱褶的肌肤；而你呢，要看着我不再苗条的身材，不再白皙无瑕的皮肤，不再轻盈的体态和明亮的眼睛……

我们有了充足的时间，去看日出的辉煌和日落的凄美；我们可以一遍一遍地翻着相册，回忆某一年某一刻的甜蜜温存或者争执吵闹；我们蹒跚着，却依然关注这个世界的每一个新的变化，看着年轻人，可以心满意足地说：我们老了，世界是你们的……

世界是属于年轻人的，可是，你是我的。

想到此，长嘘，竟然有一点盼望，早一点变老。

我和先生，2011 年在卡布里岛上被朋友“偷拍”的背影。
女友说，好像看到了我们老了时候的样子。若老了依然可以这样相偎，此生足矣。

大爱小情

结婚前，一直都觉得爱情是个很神秘的东西，来的时候排山倒海，去的时候山崩地裂；结婚后，才懂得爱情都在柴米油盐鸡毛蒜皮的生活瞬间里。没有婚姻的男女爱情是个较劲的事，为一句话，一个短信，一个眼神，能纠结三天或三个月；而婚姻里的爱情，只希望小日子安定甜蜜，大风大浪大喜大悲都赶紧回归平淡，平平淡淡才是真。

虽然三毛曾说有关爱情“不可说，不能说，一说就是错”，但是世间男女还是要反反复复地讨论有关爱情的风花雪月。

第一次试着把“爱情”两个字分开来看，发现了对这两个耳熟能详的字有意思的别样理解。

爱是大大的，是大爱，是人与人之间最基本的朴素的情感。爱是无私的，你爱着一个人的时候，无论这个人是家人、情人、儿女、朋友，都是在用一颗无私的心去惦记他，关心他。

情是小小的，是细微的情感，是人与人之间难得的投缘的第六感。情是自私的，你对一个人动了“情”的时候，也无论这个人是家人、情人、儿女、朋友，都有一个自私的想法，希望改变他（她）甚至拥有他（她）。情永远都是一件很纠结的事，在意才会伤心，伤心才知情重，不痛不知啊。

每个女人都想拥有爱情，都想长久地拥有爱情。爱情在大胸怀小情意之间的分寸，其实是爱情能否长久的秘诀之一。而将爱情两个字分开来看的时候，倒是觉得除了纠结爱情本身之外，更要适时放下，放下爱情放掉他，才是爱情长久之计。

大爱的根本，其实是要我们每个女人，心眼放大，眼界放宽，将自己从男女私情的纠结中跳出来再看“爱情”，就很容易看得出爱的本质是奉献的快乐，是由衷地希望你在意的那个人过得更好。

小情意值得珍惜，大千世界千千万万的人，怎么就和他有了感觉？怎么就和他能一生一世？缘分是天定的，但是落在我们手里的时候是需要倍加呵护。每个女人都会记得自己对一个男人心动时候的紧张、兴奋和惊喜，那个时刻虽然短暂，却值得用一生去珍惜。

老话说，百年修得同船渡，千年修得共枕眠。所以，你和他同床共枕很多年，是前生的缘分……

嫁个有钱人的秘方

这个故事我从前听朋友讲起过，恰巧在飞机上的《读者》上又看到，还是觉得很精彩，和大家分享。

一个美国女孩在一家大型网站论坛金融版上发表了这样一个问题帖：我怎样才能嫁给一个有钱人？

漂亮女孩如此直白地坦露心扉：我说的都是心里话，本人25岁，非常漂亮——是那种让人惊艳的漂亮，谈吐文雅，有品位。我想嫁个年薪50万美元的男人，要想住进纽约中心公园以西的高尚住宅，至少要嫁给这样收入的人。

我有几个具体问题请教：1. 有钱的单身汉都在哪里消费时光，具体的咖啡店、餐厅名字？ 2. 为什么有些富豪的妻子看起来相貌平平？我见过有些女孩，长相毫无吸引人之处却嫁入豪门，而单身酒吧里那些迷死人的美女却运气不佳。3. 你们怎么决定谁能做妻子，谁只能做女朋友？

下面是一位华尔街金融家J.P（摩根银行投资顾问，年薪超过50万美元）的回帖：

从生意人的角度来讲，跟你结婚是个糟糕的经营决策。抛开细枝末节，你所说的其实是一笔简单的“财”和“貌”的交易。甲方提供迷人的外表，乙方出钱，公平交易。但是，一个致命的问题——你的美貌会消逝，我的钱却不会无缘无故地减少。事实上，我的收入很可能会逐年递增，而你不可能一年比一年漂亮。

因此，从经济学的角度讲，我是增值资产，你是贬值资产。如果美貌是你仅有的资产，那10年后你的价值堪忧。用华尔街的术语说，每笔交易都有一个仓位，跟你交往属于“交易仓位”，一旦价格下跌就要立即抛售，而不宜长期拥有——也就是你想要的婚姻。听起来很残忍，但对于一件将要加速贬值的产品，明智的选择是租赁，而不是购入。如果你对“租赁”有兴趣，请和我联系。

年薪超过50万美元的人，当然都不是傻瓜，因此我们只会跟你交往，不会跟你结婚。所以我劝你不要再苦苦寻找嫁个有钱人的秘方。你倒是可以想办法把自己变成一个年薪50万的人，这比碰到一个有钱的傻瓜的胜算要大。

金融家的回答，虽然有些戏谑，但不是一点道理也没有。虽然我有几个非常要好的做投行的哥们儿，但总的来说，我对做金融的男人还是烦得要命。“数字感”太强，动不动就算，能把谈恋爱和“仓位”搅和在一起谈，那些被忽视的“细枝末节”，恐怕就是男女在一起的“感觉”，而“感觉”又实在没办法量化，你不能说，今天我和他来电了，那个“电”有多少度，又值多少钱？！所以，金融家的回帖只是给女人提供了一张更清晰的有一定代表性的有钱男人的心电图，更希望这只是一个有钱男人对一个只想嫁个有钱男人的女人的特例，而不是有钱男人真正的爱情态度。如果大部分金融家们要这样来“算”男女之情，真是要替他们遗憾，他们一定算得早就忘记了“爱情”两个字。这世上，偏偏就有些东西，就是算不得，也算不清；爱情更是，一算满盘皆输。

全世界的灰姑娘都想变成白雪公主，因此漂亮姑娘的出发点（过上好日子）并没有错。我还是挺喜欢这姑娘的坦率的，一门心思要嫁个有钱人，而且数字概念还很清楚，就是要年薪 50 万美金以上的王老五，也算是有目标有志气。可惜姑娘有一点没想明白，自己的年轻 + 美貌 + 优雅 + 品位，除了用做去嫁个好老公以外，其实是完全可以变成自己身上谁也抢不走的一笔巨大的财富，是可以转换成自己身上强大的力量的（金融家最后的建议倒是还靠谱！）。到那个时候，有钱男人想“租赁”，做梦去吧！想“购入”？那要看本小姐高兴不高兴——那是什么气势。

给大家讲这个小故事，是想给女孩子们鼓鼓劲！如果能嫁个有钱的相爱的男人（面对你们的爱情时，他可以不再“算”的哈），当然好；男人确实不是傻瓜，尤其是年薪 50 万美元的聪明男人，与其去想他们到底想娶什么样的女人，不如把脑子动在自己身上，你可以更聪明，更自信，更优雅，更幽默，更独立，更宽容，更有品位，更有气质，更有修养……当你具备了这些“更”，你的他自然送上门。

爱情的真谛

这是个老话题，老到很多人早就不屑讨论了。恰巧总有朋友困惑这个问题，问我，问大家，也问自己。

我不是智者，想不出一个很完美的答案。朋友问到我时，我想起了一部电影的一个镜头：

《泰坦尼克号》，男女主角都落水了，生命奄奄一息之际，男孩把生存的机会和希望都给了女孩，对她说：我爱你！如果你爱我，好好活下去。这句话，给了女孩一生的力量。

不知道多少人，看到这一幕时，会唏嘘和落泪；不知道当时电影院里的情侣会有多少女孩扭头问身边的爱人：如果是你，你会吗？

有人说，《泰坦尼克号》是一部很"俗"的电影，不过是老套的爱情故事，对我来说，《泰坦尼克号》是一部每过两年就愿意拿出 DVD 再看一遍的电影，只为了这一个镜头的感动。

现实中的恋爱情侣，碰到这样生死攸关考验爱情的机会几率太低了。但是我们还是会碰到诸如他病了，他的事业出了大问题，他的家人得了不治之症等等的生活情形。他病了你是不是比自己病还着急，是不是可以放下一切去给他做一碗热汤面？他事业不顺脾气焦躁你是不是有耐心承受他的坏情绪，是不是可以鼓励他告诉他他就是穷光蛋你也非他不嫁？他妈妈在医院一病不起，你是不是任劳任怨地去伺候老人，是不是会想尽办法哄老人开心就像对自己的妈妈一样？……

如果你的答案都是 yes，恭喜你，你是真的爱上了他；当然，同样的问题要抛给他，希望他的答案也都是 yes。

这么说来，大概这个问题的答案就是，爱意味着彼此的奉献，说得家常一点，就是彼此要对对方好，这个“好”字容纳万千，是生活中最平常的体贴关怀，是困难和灾难中的彼此支撑和扶持。

我迷恋水，迷恋大江大海，大概是因为内心渴望成为一个如水的女人——柔而韧。

| 2004 年　北戴河 |

爱情一算即是输

不知道有多少人，喜欢抱着算盘找爱情？

我小时候，身体不大好，是那种病病歪歪药罐里长大的孩子，每次进医院，妈妈经常叹着气半开玩笑说：“长大了嫁个医生吧，这样有人照顾你！”

长大了，我很不争气，沉迷于唐诗宋词红楼梦三毛张爱玲，学了文科，喜欢厮混在一起的也是同样风花雪月的文科生。同学以及同学的同学都没有一个学医的！而且还非常固执地认为学医的男孩子都“有毛病”——反正，从来没有和医生约会过！

有一阵子，我也给自己盘算过：要嫁一个什么样的人？——个子最好高一点，穿上高跟鞋才到他肩膀；性格最好温吞一点，我急了他还是笑眯眯；才华至少超过我，学识要比我的大学老师还厉害；千万不要一掷千金的公子哥儿，也不能是斤斤计较的穷光蛋……

开始谈恋爱后，发现自己给自己画的框全部形同虚设，天上掉下来的一个人，你都可能爱上。实在不能算出丘比特会把箭射在谁身上……爱上一个人后，有的时候会“反思”，发现他完全不符合你 18 岁时心目中白马王子的任何一条标准，但是爱情就是爱情，足以让一个人利令智昏!

有好多女（男）朋友,喜欢抱着算盘找爱人,未来爱人“应该”什么样,恨不得可以用笔画出来，我一个女朋友甚至可以打算盘打到要从哪几个大公司里给自己挑选未来的丈夫！如果说，衡量爱情成功与否的标准是婚姻的话,那他们还是有很多是成功的——嫁（娶）到自己想要的人——所以，不是说抱着算盘找爱人就是错的，仅仅是觉得——那不是如同从前老人拿着生辰八字去找媒婆，即使生辰八字都合得不得了，你怎么知道，洞房花烛夜掀起盖头那一刻看到的那个人，就能让你动心?

所以，我还是非常地坚持，爱情是不可算的，一算满盘皆输。因为爱情实在不是一个“清醒”的行为，你不能把爱情放在天平上，放在任何一个数学公式里，看看轻重或者正负，不能听任父母跟你说：“你看，他有好的收入，体面的职业，人又不错，没有大毛病，就嫁他吧……”而你要找那样的感觉：

收到他一个短信，你的心跳会加快；

和他打电话，你的大脑会出现瞬间的空白而不知所云；

和他约会前，你打开衣柜，扔到满地都是衣服，你还是不知道要穿哪一件去见他!

你素面朝天，他只穿着运动装，彼此都不是最精神和最美丽的时候，彼此依然觉得，对方魅力无穷……

记得《西雅图不眠夜》（*Sleepless in Seattle*，也有人译成《缘分的天空》）里妈妈对将要出嫁的梅格·瑞恩讲自己当年和她爸爸约会的故事时，是怎么描述他们的第一次牵手吗——

当他的手握住我的手时，我一时分不清哪个是他的手，哪个是我的手，那一刻，我知道我必和他走过一生，It was like magic！

爱情，就是需要这样的magic，而这样的magic，什么样的算盘也盘算不出！

爱一生的秘诀

这个秘诀，我讲过很多次，在杂志上，在电视访谈中，在无数次和女朋友的聊天中。

那次为湖南卫视录一集访谈节目，本来已经录完了，编导说要再录一些观众“反应”的镜头，“晓雪，你能不能给大家接着讲故事？”——我就讲了 Evenlyn 女士的“爱一生的秘诀”，我并不知道镜头还在对着我，结果，全场比正式录节目的时候还安静，每个人的“反应”都全神贯注。在播出的时候，这一段反而成了重点。

Estee Lauder 集团是全世界最大的化妆品集团之一，现在的掌门人是 Lauder 夫人的儿子。我在纽约出差的时候，有幸和他的夫人 Evenlyn Lauder 女士共进午餐。身为全世界顶级化妆品集团的第一夫人以及副总裁，不但辅佐丈夫的事业，自己还经营着香水、慈善等事业。见到她，我才知道“优雅”两个字的定义是：美丽 + 从容 + 自信 + 岁月的沉淀。

Evenlyn 女士就坐在我的正对面，连语气都足够优雅的她不紧不慢地回答我的中国同行的一个问题：怎样让你的丈夫爱你一生？其实我们的潜台词是：你的老公那么成功（长得还帅！），而你们在认识将近半个世纪后依然可以相爱相依，秘诀是什么？ Evenlyn 的答案打动了我们在场的每个人，后来也打动了听我复述的每一个女人：

一、尽可能地变换你的发型，长了剪短，短了留长；烫了拉直，直了再烫——经常给他，也给你一个不一样的自己；

——我当时说，那不是折腾自己的头发呢，夫人笑着说：那有什么不好，你新鲜，他喜欢。

二、不管发生什么事，和他尽量保持同一个速度在人生的路上奔跑——你别丢下他，也别让他丢下你；

——只有这样，你们才能不仅是爱人，还是可以沟通的朋友；很多年后，也许爱情不那么新鲜了，但是他依然是你最喜欢说话的一个人。

三、在意你的身体肌肤，永远让他在抚摸你的时候有那种肌肤相亲的美好感觉——不管你是20岁还是70岁；

——被很多女人忽视的一点，大部分女人更在意脸上的肌肤；其实身体是一样的，也需要护理和保养，经常运动也会使你的肌肤充满活力。

四、每一年，每一天，每一个恰当的时刻，看着他的眼睛，对他说：我爱你。

——夫人说的时候，特意补充：我知道你们中国人的表达很含蓄，也许，你可以变通一个你们更善于表达的方式；但是，我还是坚持，两个人之间，需要经常地彼此真诚地说：我爱你。

【补记】 2011年，Evenlyn Lauder女士在纽约去世，很难过。她最后有生之年献给了乳腺癌防治的公益工作，一个心中有大爱的女人，精神永存。

左手和右手的幸福

你一定听过这些关于婚姻的说法：

女人昏了头才会去“婚”……

婚姻是爱情的坟墓，有一世的婚姻没有一世的爱情……

当他握着你的手如自己的左手握右手时，一切早已归于平淡，亲情代替了爱情……

可是记得么？——当我们还是情窦初开的少女的时候，最喜欢幻想关于婚姻的童话：

白马王子的他，有一天举着戒指单膝跪在你的面前说：“嫁给我吧？”而你终于有机会可以轻轻地说出那运筹帷幄在心中好久的三个字“我愿意”……你和他，从此过着“你耕田来我织布”的神仙眷侣生活……岁岁年年比翼齐飞，不求同年生但求来世化成双蝶飞……

当有一天，真的成了他的妻，你开始懂得，原来婚姻是这个样子：

这世上多了一个人，在你的父母兄弟姐妹之外，还可以称之为“亲人”,那个人的名字经常被你填写在银行、保险或医院等诸多表格中的“紧急联络人”一栏——想起来有时会唏嘘，当我们成了他们的妻，我们一生中所有的“紧急”关头时，希望能够握着他的手。

这世上多了一个人，无论你走到哪里，飞到多高，跌到多惨，他在你身边的时候就是你眼前最近的人，他不在你身边的时候就是你周围的空气，他在或不在，你都在很多年里被牵挂被唠叨被放在心上。

这世上多了一个人，你跟他过日子跟他做爱跟他吵架跟他生孩子，跟他一起在浪漫的二人世界和琐碎的柴米油盐中，一年年变老，相濡以沫，不离不弃。

或许好姻缘就是左手和右手的关系：

左右手握在一起的时候，分不出谁是夫谁是妻，只能感受到彼此的温度；左右手分开的时候，可以独立地各做各的事；两只手都有各自擅长或不擅长的事，有些事需要两只手配合才做得好，就像我们女人描眉，只有左手举正了镜子，右手才可画好那眉型；就像我们双手十个指头在电脑键盘上跳舞，你其实已经不需要斟酌哪个字母是哪个指头敲出来的，电脑上已经是一篇好文章……左手和右手最珍贵的关系，是默契和和谐。

婚姻的确不是少女时代想象的童话，但是婚姻是人生中一件很有质感的事，岁月将为每一段爱情见证，沉淀出一层又一层的不可磨灭的印迹。那些印迹就是那平常日子平淡生活平安是福中的相依为命。

倘若，恰好你们又有了孩子，那个娃娃不仅是生命的血脉延续，也是爱情的血脉延续。

痴情、多情、纯情和专情

写博客时，不止一个女孩子在留言的悄悄话里问很相似的问题：

是不是男人（男生）都怕被追问从前的恋情？——他不说我好奇，他说浅了我不信，他说深了我难受……怎么办啊……

我不是爱情专家，但这事想得还挺明白。其实在一个男人身上，可以集中痴情、多情、纯情和专情四种特质。

先说痴情。他不痴，你不爱。但是你想过吗，他可以对你痴，对你的前任同样也是痴的呀！如果他不视爱情为儿戏，他前面的故事，很可能和跟你的故事一样精彩——当故事听吧，和看电影一样，他的过去就是你的一张 DVD 而已。

多情，有多少男人可以视美女如粪土呢——没有！要是他正常的话。只是不要像胡兰成那样，见一个爱一个（按照《今生今世》中的说法，他可是每个爱得都相当地有道理）。多情很多时候不过是男人在怜香惜玉，也算是美德，大可不必动辄吃醋。对前女友的多情，只要不多情到回她怀抱的程度，总比无情好。

纯情，这世上还有没有纯情的男人（一个网友这样问我）？可以肯定地回答，有的！——只要纯情的女人在，纯情的男人就在，举着丘比特箭的那个小人儿在天上早算计好了！还是有很多男人，对爱情有很简单又很执著的梦想，和我们女人是一样的。只不过一时没碰到对的人，大男人们就把自己纯情的那一面，悄悄藏了起来。

最后说说专情。好像现在越来越多的男人（尤其是成功男人啊，CEO 董事长什么的），有点儿滥情，三个月不换女人就痒痒。很可惜，这似乎是经济飞速发展给中国男人们带来的负面影响，要他们付出的道德代价。但是，在我见过的成功男人里面，还是有一半以上的男人，对他们的另一半专一而认真。不是所有的男人女人，都可以有那样的福气——青梅竹马、童男童女，你们彼此的爱情生活里，都只有对方一个名字。所以，和你一样，他会有他的过去，他即使曾经和 20 个女人约会，也并不能代表他对你就不专情了，亲爱的，放他一马吧，别拿他的过去当作你们爱情的把柄，好不好？

我有一个女友，她的先生是她从前的哥们儿，很多年以来，他是她感情烦恼的诉说对象。后来有一天，他们发现彼此爱上了对方……她先生跟我说：一点不介意太太从前的故事，虽然那个时候他在听，但是他知道自己不是故事的男主角，他说这样也好，好像他一直在看着她长大——爱和被爱，伤害和被伤害……就像那部老片《*When Harry Met Sally*》—— 一切都归于岁月！

我从来就不觉得，女人可以看透男人，其实看不透的，这是两种完全不同的动物，所以，看开很重要。

先爱自己，再爱别人

小时候有些课文是被老师要求要背得滚瓜烂熟的，比如范仲淹的《岳阳楼记》。可惜现在只记得“先天下之忧而忧，后天下之乐而乐”一句，确实是好句，在很多年里都是我的人生信条。

不知道从哪一天开始，我开始对这句话产生了一点点怀疑。时代变了，范老前辈生活的年代死活没赶上，“天下”好像也不用我一个小女子操太多的心，国家安定，我就是想像古人那样忧国忧民，机会也实在不多。

偶然发现，这句话（当然不仅仅是这句话）害了很多的中国女人。对于大部分中国女人来说，我们虽然没有接受过“三从四德”的教育，但是还是被用各种方式教导女人要识大体，顾大局；要温柔，忍耐，宽容；要做一个好妻子，好妈妈，好儿媳妇……而小时候并没有人对我说：要好好打扮自己，要知道自己对自己好，有苦恼有抱怨要发泄出来……

好了，问题来了：

女朋友小梅，她的人生信条就是丈夫和儿子，她可以不梳头就出门，但是绝不会忘记在早餐桌上放上丈夫要吃的每一粒保养品；她说没了我他们可怎么活？——结果，丈夫和儿子有一天发现没了小梅他们还是可以活得很好。

我见到小梅的时候吓一跳，昔日的灵光女子哪里去了？她完全变成了一个怨妇。我很不合时宜地对她说：我要是男人，我也不要你。

这是一个很老套的故事，其实，只是想说，女人要学会爱自己，才有能力去爱别人，你的家人，你的爱人。这和自私是两码事，是有关你是否具备爱别人的能力问题。

比如说你上班一天，办公室里的问题都挂在你的脸上，回家后，你的丈夫会喜欢看你的脸吗？你的父母会愿意听你的抱怨吗？不会的。你要先想办法化解工作带给你的所有压力，怎么解决？每个人的方法不一样，有人喜欢游泳，有人喜欢泡个热水澡或者做个SPA，还有人喜欢购物，总之你要先让自己高兴起来。

他不爱你而你依然爱他，这个时候的你就更要对自己好，失恋是对女人最大的打击之一，想想看做什么可以让自己高兴起来吧，不惜代价地对自己好，只要能让自己重新光鲜，他没有这个能力了，而你自己有。

想过吗？我们周围最近的人，父母、孩子、爱人（男朋友）、同事、老板，都希望从我们身上不断地获得“惊喜”：

哇，你今天真是……漂亮啊！

这件事做的真是……地道啊！

让自己能够不断地有“惊喜”，首先要对自己好，只有学会爱自己，才能不失去本我，才有能力去爱我们想爱的人。

爸爸妈妈的爱情

最早让我相信爱情的，不是哪个男人，不是哪部电影或者小说，而是我的父母。

父母的婚姻是典型的60年代的产物——先结的婚，后恋的爱。

妈妈的出身不好，上海资产阶级大小姐的家庭出身，还有一个曾经做过国民党高官的父亲；爸爸出身好得不得了，根红苗正的河北农村出来的小伙子；他们被“介绍”认识，好像只通了几封情书，就决定结婚了。我爸的毛笔和钢笔字都一流，我猜想，笨嘴拙舌的爸爸一定用漂亮的手写情书迷住了漂亮的妈妈。

我出生以前发生的事，实在只能是“我猜想”啊……说说我出生以后发生的故事。

妈妈曾经在房山很远的山沟里教书14年，每个月回来一次。那个时候，没有电脑，自然就没有E-mail、MSN、QQ、微信，也没有手机、BB机，家里也没有电话，所以，妈妈完全没有办法通知爸爸，她会坐哪一趟长途车回家。舍不得花长途车费，妈妈通常是搭进城的货车到了市区，再换离家近的公共汽车。14年里，妈妈说，无论酷暑严冬，深夜几点，当她下车的那一刻，永远都可以看见爸爸的身影。妈妈每次都问爸爸：你等了多久了？爸爸每次都说：刚刚到。

今天想来，这是一件令人匪夷所思的事，我也不知道爸爸每次要等多久，因为他完全没办法判断妈妈搭到了几点的货车，他只知道这个晚上，无论多晚，妻子会回家。

妈妈爱吃海鲜，爸爸在和妈妈认识之前，根本不知道海鲜是何物。可是，爸爸后来会做最好吃的红烧鱼、油爆虾，我简直想象不出，一个几乎不吃海鲜的人，如何练就的做海鲜的厨艺。

爸爸迷恋京剧，我小的时候，还可以唱几句程派的《锁麟囊》；妈妈听京剧像听天书，但是，只要有好的京剧，我家的电视频道一定是锁在咿咿呀呀的京剧上。

我很小的时候，爸妈就把我放在另一个屋子里睡，我经常故意把自己和被子都扔在地上，然后让半夜来抱我上床的爸爸妈妈，有点内疚。长大以后懂得，多么聪明的夫妻，孩子也不能影响他们的恩爱。

在我的成长阶段，除了我们四口人一起去玩，还有很多时候，是我带着妹妹去逛公园，爸爸妈妈自己牵着手去另外的地方。现在想来，也很时髦，他们在结婚多年后依然在恋爱，就是现在，他们都已经退休了，还是会去参加各种旅游团，两个人出去看世界。

爸妈很少吵架，有彼此生气的时候，绝不会摔盆砸碗出口伤人。他们可以清楚地算出来，结婚 43 年，吵过两只手数得过来的几次架。家里每年一定要隆重庆祝的节日，是父母的结婚纪念日。小时候，我们被告知，那个日子是他们共同的生日，我当时还很高兴地想：怎么这么好，他们两个人在同一天出生？

所以，是我的爸爸妈妈，让我从小真实地看到和感受到：爱情是存在的，爱情是可以长久的，爱情是一种能量。

现在，我和当年的男友、现在的丈夫，已为人父人母，知道给我们双胞胎女儿最好的有关爱的礼物，是在孩子眼皮底下，父母彼此的恩爱和包容。

爱他就宠他

婷三十大寿，约了众好友庆祝。到了吃蛋糕的时候，婷耐不住，问坐在圆桌对面的老公小周：哎，我的礼物呢？他们大学时开始相恋，从同学到夫妻已经小十年，在座的女友们其实心里在和婷一样在想：今天，还会有惊喜吗？

小周出去，再进来的时候，手里多了30支红玫瑰。说结婚以后，还没送过鲜花，对不住了，所以今天，一下补齐30朵！婷的面颊上开始出现幸福的红晕。大家唏嘘，原来女人永远都喜欢，心爱男人送的红玫瑰……

蛋糕没吃完，小周像变魔术一样，拿出一个像眼镜套那么大的丝绸软套，说这才是真正的礼物呢！——不过要猜猜看，这是什么？婷拿在手里捏了半天，一脸茫然，说形状很奇怪啊！打开袋子，更茫然了，里面是一个小小的带把儿的好像棒槌一样的东西。大家开始猜，娜闺蜜说：书柜！你不是一直想要个书柜吗，这是书柜的把手！仔细看，显然不是；有人说，是八音盒的摇棒，再看，也不是；朗闺蜜的男友是指挥家，他说，这好像是什么乐器的调音棒吧？……

几乎是同时，婷和娜发出了一声尖叫：

古筝——是古筝！！！

小周点头，是古筝，筝已在家，这是它的调音棒。

古筝是婷的一个梦，她不会弹，只是很多年以来无端地喜欢。

婷喃喃：这个没想到，真没想到……然后，泪如雨下，在座的闺蜜们都跟着眼泪汪汪。大家都说，今天不像是婷的生日会，倒像他们情意绵绵地补了一次婚宴。

做过很多名人夫妻关于爱情的访谈，印象最深的，是张欣说的：

爱一个人，就是想着方儿让他高兴呗！在一起时间长了，爱不爱的，让他高兴就是爱他了……

小周是好丈夫，不仅让婷高兴，还帮婷圆梦。每个人，都有几个不切实际的甚至痴心妄想的梦——只有爱人信，爱人愿意帮助你圆梦。

在飞机上看了一篇文章说：女人们还是傻啊，在年轻的时候总是相信，爱比天大…… ——那么，我就是还年轻了？我的确相信，爱比天大。

——所以，爱一个人，就宠着他（她）吧，想着方儿的，让他（她）高兴。

幸福的终极定义

晚上，妈妈来电话，说姨姥姥走了。姨姥姥是姥姥的大姐，九十高龄。妈在电话里说：那天晚上，姨姥姥半夜觉得很不舒服，就坐了起来，旁边的姨姥爷也醒了，给姨姥姥取了两片药，说吃了就会好。姨姥姥就着姨姥爷倒的半杯热水吃了药，跟姨姥爷说：累了，在你这儿靠会儿吧！于是姨姥爷就将姨姥姥揽在了怀里。一会儿，姨姥姥就沉沉地睡了，再也没有醒来，在姨姥爷的怀抱中悄悄地走了……

妈说的时候，没有很大的难过，说知道了消息就羡慕姨姥姥可以这么"幸福"地走，说跟我爸说了:"有一天，我要是该走了，就想这么走，老头儿你可要活得比我久才好……"

晚上，和闺蜜红打电话，说起姨姥姥的走，红也说："你姨姥姥怎么这么地有福气，我也要这样走，睡他怀里，他的体温送我走，那是什么样的幸福……"

那是——什么样的——幸福？！

虽然我知道这样的"幸福"有一点儿女人的小自私，不去想当我的身体在他的怀里渐渐冰冷，他会是如何地悲痛欲绝……我也是想呀，有一天，知道了一切都将远去，然后可以对身边的他说：累了，在你这靠会儿吧……再无牵挂，心满意足。

写到这儿的时候，潸然泪下，觉得人生并不长啊，怎么可能和他生生世世呢，幸福到极致，不过如此吧……

代后记 / 十年

十年前，有个怀揣对时装对巴黎梦想的女孩子，一腔热情来到巴黎，一门心思要看巴黎时装周上那些传说中的秀。

那一年是2002年的10月，其实那年她已经32岁，快30岁的时候才决定改行做女性时尚杂志，只能勉强称之为“女孩子”。

她第一次来到巴黎时装周，第一次走进秀场时很没有底气，不知道该跟那些看起来趾高气扬的时尚人怎么说话，不知道该穿什么衣服才得体。那时很少有品牌把位子给一个中国媒体的时装编辑，为了要到一张站票要跟品牌公关磨很久，实在连站票都讨不到的时候就早早地到秀场门口候着，看能不能找到个熟人让自己“蹭”进去。女孩子很羡慕那些坐下来从容寒暄着看秀的编辑，秀场很嘈杂很拥挤，保安总是黑着一张脸，呼来喝去：不要挡了路！……女孩子在秀场里发现这一行其实并不“年轻”，和那些国外的时装编辑们比起来，自己还真的可以叫做“女孩子”，秀场上的时装编辑很少有30岁以下的，坐在第一排的那些如雷贯耳的人物都已在时尚场至少驰骋二十年，资深的老外编辑看着扎着马尾辫的她总是问：你是来巴黎读书的中国学生吧？……

女孩子不熟悉巴黎，打不起也叫不到出租车，每天在地铁里奔波着到各个秀场，在地铁里好开心，因为经常可以看到熟悉的高高的刚刚从秀场下来赶下一个秀的模特们。偶尔品牌选在一个地铁不直达的生僻地方，女孩子就慌了，头一天晚上在地图上圈好秀场的大概位置，下了地铁就狂跑，有时因为没有按时找到秀场而音乐已响起被保安拒之门外，她只好眼泪汪汪地听着秀场的音乐踮起脚尖努力往里看……在时装周上的那些顶级设计师们的谈吐，那些创意无限的展览展示，那些或简单或华丽的霓裳，让女孩子真的感受到了时装的魅力和力量。

女孩子每年想尽办法地要来看巴黎时装周。前辈跟她说时装文化是建立在欧洲文化基础上的，若想做好这一行，要先补上欧洲文化这一课。公司没有费用每一季都送编辑去巴黎看秀，于是女孩子把积蓄都花在欧洲旅游上，把假期都定在巴黎时装周前后。每一季的时装周大概都是七八天，女孩子几乎每次都是在第四五天的时候开始发烧。因为秀场外面冷得要穿大衣，而里面又热得想穿短袖，里外都很少有机会能坐下来，一站一整天，忽冷忽热，就发烧了。后来找到一家温州夫妇开的中餐厅，一发烧就去那家餐厅，老板娘给女孩下一碗榨菜肉丝面，吃得鼻涕眼泪都下来就能好很多，第二天可以接着去跑秀场。榨菜肉丝面吃了很多次很多季很多年，温州夫妇后来成为女孩子在巴黎的好朋友。

几年后，女孩子对巴黎的很多角落都耳熟能详，可以倒背如流巴黎地铁图，有自己心仪的小书店、小广场、小设计师店铺，最爱玛黑区（le Marais）和拉丁区（Quartier Latin）。她开始自己心里有了自己的巴黎。

后来，女孩子开始有了座位，坐下来看秀的感觉真好；后来，她的座位一排排向前；再后来，她坐到了第一排。她不用再搭地铁，整个团队七八个人有编辑记者摄影摄像，专车集体浩浩荡荡去看秀；即使没收到请帖也不用担心会被保安拦在门外，品牌公关们早早地在门口等着重要媒体的到来，人没到短信电话已在催。她早已不是“女孩子”，秀场内外有很多人叫得出她的名字和她熟络地互相招呼，经常有在巴黎读书的留学生在秀场门口等着她，问她：“可以帮忙带我进去看秀么？”……

每当此时，她恍然，好像看到若干年前的自己。

——这不是电影，这个女孩子是我。

十年后，2012年3月，又是一季时装周，我和团队风尘仆仆地在那些已烂熟于心的老地方一场场赶秀。十年了，坐十个小时飞机，踩10cm高跟鞋，连续一个星期，每天七八点一个激灵爬起12点腰酸背痛上床，一天跑五六个或者七八个地方，在寒风中排队，进场坐不到15分钟，再跑出去赶下一场，一天靠一顿早饭支撑，没时间午饭，晚饭拿不准几点……

人生有多少事情，可以让自己执著地坚持十年？

我们的青春中，又有几个十年可以让我们执著？

即使这个三月已是我在巴黎看秀的第十一年，一直不敢忘记十年前自己第一次来巴黎看秀的诚惶诚恐，希望自己能永远保持当年的好奇心和敬畏心。很怕自己开始计较座位啊，名次啊，待遇啊，那些患得患失的计较其实最伤自己最初的激情。今年看秀时，有两场因为赶场迟到了，都是站在门口看的。站着有些小累，但是开心，自嘲“视野很高看得很爽”，心里感慨着好像回到年轻的从前，只要能看到秀，就好，心里就知足了。

有时想，人生好像过山车，有时往上走，有时往下走，无论往高处走时还是往山底掉时，都希望自己能保持清醒，记得当初为什么出发。

谨以这篇自己于巴黎时装周十年的真实心路历程和大家共勉，行业虽有不同，但一颗执著的心相同，年轻时经历的挫折挫败和所有那些被轻视被看不起，都是最值得收藏的经历和经验，只要坚持，每个人，都有花开的那天。

上图　2002 年 10 月，在巴黎艺术家桥，看秀的路上，那个时候的我，马尾辫，平跟鞋，白衬衫，毛背心，双肩背。

下图　2012 年 3 月，同一地点。艺术家桥十年来多了无数同心锁，远看金光闪闪一片。我已经剪短发多年，嫁了人生了娃，有了皱纹，比当年胖了 15 斤。

镜头后面的那个人，没有变。他总是说我没有变老；我总是偷偷地庆幸，可以在他的镜头下——优雅地变老。

编后记

总有些人，你素未谋面，却觉得相识已久。

初遇晓雪，是在一个夜阑人静的时刻，那日，随手乱拨遥控，定格在一个叫《风格制造》的节目。我一下子惊住了，因为节目里的主持人与惯常见到的女主持截然不同。

据说，她当时的老板希望她在节目里呈现“雍容华贵”，她穿着白衬衫（这是上镜忌讳的），华确实是华了，不过是“腹有诗书气自华”的华。

那年，博客盛行，一日，恰好在新浪主页上有二字“晓雪”——眼前一亮，难道是她？

果然。从未想过，我的生活，会因她而改变。

我成为面膜的拥趸和积极推广者。每日上班的第一件事，就是看看她的博客是否有新文章。一杯水在握，十分钟悄然而过，心中的感觉十分美好。

她爱自己，也爱大家。她不厌其烦地不辞辛苦地回复每一个人的留言。留言和评论里有很多让人难忘的评价：

“晓雪，我一直觉得LV非常俗气，但那天在机场看到你，觉得那包在你的手里真是浑然天成，优雅极了。”

“晓雪，你的博客真是一本好女人的教科书，我推荐我的女同事们都来了。”

“雪姐，你可能已经不记得我了，几年前实习的时候，你亲手教我熨衣服的技巧和乐趣，在我心里，你就是气质女人的代表。”

我从不留言，只默默地看。

我看着她与大家分享自己的护肤心得，穿衣技巧，和平常日子工作生活中的酸甜苦辣。

——面膜之秘诀，不在贵贱，贵在“坚持”。

——一个女人，可以不够年轻，可以不够苗条，可以不够漂亮，但是最好，有自己的风格。

——不要急着向老天要你的荣誉、成就和利益，即使你觉得你已经很刻苦了；好的报应和坏的报应是一样的，都需要时间，人生很长，要有耐心等待。

数年来，我看着她辞职，换工作，风风火火地忙碌，生娃……

同时，我也在辞职，换工作，风风火火地忙碌，生娃……

流言甚嚣尘上的时候，她不作辩解；对伤害她的人，她没有反戈，或者反讽，或者反诘。

为了推广 *ELLE*，她做了快女评委。

当全世界都误解她的时候，她没有公开讲一句话；然后，她病倒了。从医院出来，她拉着行李去旅行。她说：见了海，知道自己不过就是一滴水，自己的愁有多么浅……

她不是完人，她也在夜半与男友吵架，躲到女朋友家；她对着成堆的工作感慨：我是不是太笨，每天工作12个小时，事情还是做不完……她经常在上海北京香港伦敦巴黎密集地飞，她说，上辈子我必是一只懒惰的小鸟，飞得太少，要用这一世来还；她艰难地平衡着工作与家庭：我能做到的，只能是当工作结束，赶可以爬得起的最早班机飞回到女儿身边，满身疲惫可是满心欢喜地和她们玩些时候，等她们睡了再回电脑前……

她只是万千职场拼杀的现代女性的代表；

她只是我们梦想成为而一直难以达到的影子：精致、美好、勤奋、进取、乐观、坚强、宽容、豁达，还有，优雅。

杨晓燕

2012年6月8日

新版后记 / 姥姥的优雅

姥姥祖籍江苏松江，在上海长大，1947年随姥爷迁居北京。

我没有见过姥爷，只能从姥姥片段的回忆和家里的老相册里依稀知道他的模样。姥爷曾是国民党南京军区高层，学文出身，在共和国建国之前，已经预测到1949年的胜负结果，早早向蒋介石辞官，带着老婆孩子搬到北京一个四合院里，希望从此隐姓埋名，和一家老小过安定幸福的小日子。

然而姥爷期待的小日子并没有过上几年，共和国的运动就开始了。姥爷在"肃反"中被揪出来，锒铛入狱。姥爷被带走的时候，家里帮忙的人一哄而散，只剩下刚满三十岁的姥姥和五个孩子——最小的刚过百天、最大的九岁，还有跟着家里很多年怎么劝也不肯走的老阿姨冯大妈。再后来，就是抄家，家里所有的值钱东西都被抢走，一夜之间，一贫如洗。

妈妈说，她还依稀记得家里最后的风光是为刚出生的舅舅摆的满月酒。小院里大摆宴席，宾客盈门，送的礼物多到贮藏室都放不下。那时的姥姥，不仅年轻貌美，还曾经是上海女校的校花，肚子里有墨水，我想即使不够风华绝代，也是那个时候的天之骄女吧。

然而，岁月无常。一个三十岁的"天之骄女"，丈夫在监狱，五个儿女嗷嗷待哺，等待她的是什么样的日子?

建国后百废待兴，街道成立小学，正缺女教师，有墨水的姥姥有机会当了一名女教师，终于有份微薄的收入勉强能让五个孩子吃饱。姥姥白天去教书，老阿姨帮着照看五个娃娃。妈妈是五个孩子中的老大，她最深刻的童年记忆之一，是每逢月底，家里再没有一分钱可以买米，姥姥就写一张借钱的纸条——那借条是姥姥用家里唯一一支钢笔写的，一手漂亮小楷字——让妈妈带上借条去邻居家借钱，哪怕借到能买一斤米的钱都好。借到钱就欢天喜地和冯大妈出去买米，晚饭就有米粥上桌。到了月初，姥姥发了工资，再赶紧差妈妈将钱还给邻居。那时小学的学费是每个学期二块五，家里上学的孩子，每个学期的学费都要分五个月才能交齐。

（冯大妈一直跟着家里，在最困难的那些年里不拿一分钱报酬，是家里的顶梁柱。姥姥的五个子女——我的妈妈、小姨还有三个舅舅，成家后都轮流接老阿姨到自己家里住，帮她换假牙、做棉衣、陪她去看病，为她养老送终，老人活了100岁。我还记得小时候，这位慈祥的小脚“冯奶奶”经常来家里小住，来了就给我和妹妹做野菜包子和各种手工小面食，还把家里棉被里里外外都换了新。无论是老阿姨，还是姥姥一家人，他们彼此的相依相靠和不离不弃，让我从很小的年纪就懂得不势利是人与人之间的相处之道，而感恩是人世间最基本的道理。）

等到我会走路、每个周末被爸爸扛在肩上去看姥姥的时候，姥姥家的四合院已变成了大杂院，四分之三的房子被别家居住，姥姥带着舅舅小姨们蜗居在院里一角。姥爷已经去世，姥姥没有再嫁。我长大后想，即使姥姥当年美貌如花风姿绰约，但一个前敌党军官的遗孀，还带着这么小的五个拖油瓶，出身不好生活负担又重，在那个时代怕是没有人敢娶吧……

从小，我不仅非常爱姥姥，而且迷恋和崇拜姥姥。上文那些悲凉往事，其实是在成年之后听姥姥和妈妈断断续续讲的。第一次听到时我惊得目瞪口呆，因为在我的记忆中，姥姥从没有哭天喊地地悲伤过，没有因由富到穷抱怨过，没有蓬头垢面的邋遢，她一直都是那么美丽、精致和从容。

姥姥每天回家，洗手洗脸后，要先换一套碎花长衣长裤，才开始做家务。我问姥姥：为什么回家要换衣服？姥姥说：在家要穿家居服，出门要穿出门的衣服。我当时想，洋气死了，居然还有一种衣服叫“家居服”！那时全中国上下人们只穿几种颜色几个款式的衣服，姥姥穿的跟别人家的姥姥很不一样，即使是一件那个年代的“制服”——灰色薄呢列宁装，姥姥也会把它改得有腰身有细节才上身穿。

姥姥身上唯一的“配饰”就是几个普通的黑发卡。她总是能把那几只再普通不过的黑发卡变出很多花样来，或者两只发卡拧成一个十字别在头发上，要么别一排就像旧时女子的盘头，很有味道。有一次她摘了一朵院子里新开的小花，用发卡别在衣服上就成了一个鲜花胸针，看得当时还是小女孩的我眼睛都直了。

姥姥每天将头发梳得整齐光亮，比妈妈的头发还光亮。姥姥说，做女人就要干净利索，不能囫囵着就出门。“文革”时，学校都不上课了，姥姥被批斗，被安排扫厕所，被勒令没玩没了地写检查。我不记得是哪一年了，姥姥那句落地有声的话深刻存封在我童年的记忆中——“他们就是要我天天去扫厕所，我也要穿得干干净净、头发整齐地去扫厕所！”

姥姥的巧手会做很多南北味美食。比如江米酒、鸡蛋饺、粽子、熏鱼，还有五彩火锅，里面除了肉丸子、鱼丸子，还有西红柿做的红丸子、菠菜做的绿丸子。每逢过年，姥姥都要在厨房里彻夜忙碌，为年三十全家坐在一起那一席温暖的年夜饭。

姥姥极喜欢侍弄花花草草，院子里满是姥姥的花草，最多的是玻璃翠、美人蕉、西番莲。这些花草可以续根，今年开完花，把根留好，明年还可以继续开花。每开一朵花，每长一枝新枝，姥姥都特别开心。

姥姥说：过日子就不要马虎，穷日子富日子都要有滋有味。

再后来，五个儿女陆续长大成人，全民上山下乡，姥姥家的四合院曾一度锁门关院。妈妈师范毕业后去了北京远郊区县房山的一个山沟小学教书，一待 14 年，大舅奔赴东北北大荒，二舅去了山西原平，三舅去了内蒙古，小姨在平谷插队，姥姥在顺义下放劳动。

一家人悲欢离合很多年，像那个年代的很多家庭一样。

"文革"后多年，姥姥和她的五个子女终于再聚到小四合院。我曾经问姥姥为什么不去找有关部门要回家里的大四合院，要回被抄走的那些东西。姥姥说：那些邻居，也是无辜的，也不容易，这么些年邻里街坊也有很多照应，把人家赶走了人家住哪里？再说，五个儿女各自长大成家，有这么两间房也就够用了；至于那些东西，本来就是身外之物，要回来有何用？

姥姥特别喜欢照相。和姥姥在一起最快乐的事是翻看家里的老相册，姥姥长了老茧的双手，一边摩挲着那些老照片，一边给我讲那些过去的故事。每一次看到姥姥年轻时和姥爷的合影，我的心都"咯噔"一下，不知说什么好。姥姥并无哀伤，反而甜蜜地给我讲她和姥爷的很多往事。她说，那一年刚搬到北京时，觉得北京好大啊，必得学会骑自行车，姥爷先说“女孩子学什么自行车，多危险”，后来耐不住姥姥软磨硬泡，终于买了一辆自行车，在小院里一个踉跄着骑、一个后面小跑着推，一个下午就学会了。姥姥跟我说“一个下午就学会了”时，脸上有小小的得意和甜蜜。

很多年后，当我也开始谈恋爱，悟出：也许在姥姥心里，有关姥爷的记忆永远停留在年轻的恩爱记忆中，而人不在的日子里姥姥一定认为姥爷已到了天堂。

姥姥相册里，有一张上了色的黑白小照，特别好看。姥姥说那个时候在上海女校，女孩子们都很时髦。圣诞节时，女生们会把自己喜欢的小照片上了色，做成圣诞卡片，送给心仪的男生。我听了大笑，打趣道，姥姥您年轻时很开放嘛！

姥姥一直怀念西餐，在后来的很多年里，我每次去看老人都要带几块大酒店里上好的奶油蛋糕。姥姥也经常给我讲她成长的“大上海”的灯红酒绿。我刚去上海 *ELLE* 编辑部工作的时候，姥姥问我：去没去百乐门白相啊？外滩是不是还那么美？法租界的梧桐还在么？……

上班没几年，我迷上买包。妈妈问起包的价钱，我总是吞吞吐吐说个零头，很怕被妈妈唠叨乱花钱。但是去看姥姥的时候，我喜欢背着新包让老人鉴定下品位，姥姥问多少钱，我也实话实说。姥姥总是说：哎呦，真是不便宜，不过很配我外孙女！我穿上小裙在姥姥面前转，她便啧啧赞叹：身材真好，和我年轻时一个样！

老人今年已近九十高龄，受腿疾之困多年，坐轮椅才能出门。今年过年，我带着双胞胎女儿去看老人。进门，见老人穿了件新做的大红绣花棉袄，端坐在沙发上。我一坐下来，老人就得意地悄悄跟我说：大红袄，新做的，花样还行吧？……

我一直无从想象，在那些贫穷、艰难甚至受辱的窘困日子里，姥姥是如何让自己自尊，自强，不自弃，不自轻。人们总说"人穷志短"，我始终不信，因为我在姥姥身上，看到了人很穷而志不短。

在我的童年和少女时代，姥姥是我目中所及的最美丽的女人。当我第一次知道"优雅"这个词的时候，立刻觉得那是最恰如其分能形容姥姥的两个字。是姥姥教我"看懂"这两个字对一个女人的意义，那一种境界，如同家里的海棠花。海棠是一种很容易养的花，姥姥家里和妈妈家里都常年养着，它没有牡丹的娇艳，没有玉兰的华贵，没有梅花的清高，但在每年最严寒的季节，它都顽强而灿烂地绽放着。

谨以此文，送给我亲爱的姥姥，祝老人健康长寿。

谨以此文，解读"优雅"。

又记

这是《优雅》小书的第五次印刷。上市四周加印三次，对我来说，是一件意外的事。小书的初衷并不想做成一本畅销书，而只想同朋友、读者分享，只给懂的人看。

小书畅销，“优雅”成为话题。每一天，我都可以在微博上看到几十个甚至上百位@我的网友，一起讨论“优雅”，分享“优雅”的心得。很开心“优雅”在这个时代不是一个过时的词，依然是大家在追求的境界。

微博访谈时，很多网友问：没有钱何谈优雅？不穿名牌能算优雅么？——不知道如何用140个字做清晰地回答，心里有些痛也有些无奈，咱们这个时代，真的这么物欲横流么？以至让太多人误读了“优雅”？

我知道、看到、理解“优雅”两个字，都是因为姥姥。而姥姥是一本写不完的书，这是我一直想写姥姥的故事，却一直无从下笔的原因。因最近不断谈及“优雅”，终于促使自己动笔写这篇小文。小书封面上那一句“优雅是追求完美的心气和接受不完美的淡定”，是两个月前小书即将进厂开印时临时想出来的，而想到这一句时，脑海里满是童年记忆中姥姥的样子：她那么美，又那么爱美，历经磨难，大起大落，而生活中的所有挫折和窘迫从没有磨灭一颗爱美的心，从没有打垮一颗自尊的心，从没有让她放弃——热爱生活。

这篇小文，希望可以回答朋友们关于“什么是优雅”的问题。在我们这个世事无常、日新月异的时代里，一颗从容的心和一份优雅的心态尤为重要，共勉。

小书仅是小书，并非大作，蒙太多朋友厚爱，诚惶诚恐。加印三次，每一次都有小错修正，很多都是网友们看了小书提出的，叩谢同路人。

2012年9月